KB082213

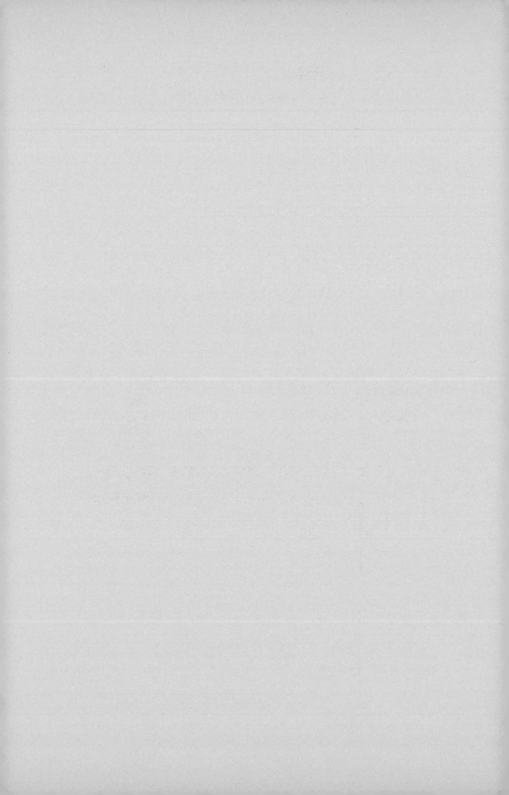

범사에 의심하라

    주택가 한가운데에 생선 파는 트럭이 들어섭니다. 싱싱한 생선이 왔음을 알리는 확성기 소리에 동네 사람들이 하나둘 반찬거리를 사러 나옵니다. 이어 상인에게 물으나 마나 한 질문을 던집니다. "그 생선 싱싱합니까?" 그러자 빤한 대답이 돌아옵니다. "싱싱합니다". 생선으로 식사를 준비하던 사람이 싱싱하지 않음을 알아차렸을 때는 이미 늦었습니다. 며칠 뒤 그 트럭이 다시 마을에 왔습니다. 기다렸다는 듯 뛰어나가 지난번 생선의 상태가 좋지 않았다고 항의합니다. 그런 후 목청을 가다듬고 다시 묻습니다. "이번엔 싱싱합니까?"

    반찬거리 한번 잘못 산 것이야 인생에 큰 문제 될 것까지는 없습니다. 하지만 이러한 태도를 바꾸지 않는다면 삶에 결정적인 영향을 받는 큰일에서 낭패 보게 됩니다.

철학 하는 사람들 등장

선거철만 되면 정치인들의 선전물과 구호가 눈과 귀를 어지럽힙니다. 먹고 살기 힘든 사람들을 향해 그럴듯한 공약을 남발합니다. 이에 대한 유권자의 선택 기준은 매우 간단합니다. 가장 솔깃한 말로 유혹하는 자에게 투표하는 것입니다. 심지어 후보의 외모를 판단 기준으로 삼기도 합니다. 대통령은 5년, 국회의원이나 지방자치단체장은 4년마다 뽑습니다. 서너 번만 투표를 잘못하면 수십 년의 인생이 그들 손아귀에서 날아가 버립니다.

생각하는 존재인 사람은 그 생각만 조종하면 스스로 세뇌됩니다. 아직도 깨어나지 못한 채 박정희를 신으로 모시는 사람들이 존재하는 이유가 여기에 있습니다. 인터넷을 이용한 대중미디어와 SNS가 발달한 오늘날에는 남의 눈으로 세상을 보는 사람이 폭발적으로 늘어나고 있습니다. 군사독재에서는 벗어났지만, 이제는 정체를 알 수 없는 온갖 선동에 세뇌당하고 있는 것입니다. 그래서 자기 눈으로 세상을 보려는 노력이 더욱 필요해진 오늘입니다.[10]

그런데 세상을 정확히 본다는 것, 진실과 진리에 가까이 가려는 노력을 기울이는 행위는 매우 위험한 일이기도 합니다. 때론 목숨을 빼앗길 각오를 해야 하는 일입니다.

---

[10] 철학(philosophy)의 어원인 philosophia는 지혜를 사랑한다는 뜻을 지니고 있다. 여기서 지혜란 자기 눈으로 세상을 정확히 보는 힘을 말하며 세상이란 사람, 사회, 자연, 우주 등 나를 둘러싼 모든 것을 의미한다.

기원전 399년, 아테네 집권층이 소크라테스(기원전 470경~기원전 399)를 잡아들인 죄명은 '젊은이를 망치는 인물'이었습니다. 형은 그날 집행되었습니다.[11] 소크라테스에 심취한 제자 플라톤(기원전 428?~347?)은 스승 사후 12년에 정치적 야망을 던져버리고 철학을 연구하는 공동체 〈아카데미아〉를 설립했습니다.

라파엘로 산치오가 16세기 초에 그린 〈아테네학당〉. 각기 다른 시대의 철학자들을 한 그림 속에 모았다. 이들은 각자의 주제를 두고 진리를 찾기 위한 삶을 살며 세상과 역사에 영향을 끼쳤다. 가운데 두 사람은 플라톤과 아리스토텔레스다.

11 리하르트 다비트 프레히트, 『내 행복에 꼭 타인의 희생이 필요할까』, 한윤진 옮김, 21세기북스, 2012, 23~25쪽.

그는 공부를 마친 제자들이 지성인이 되어 정계에 진출해 잘못된 사람으로 가득 찬 세상을 해방해야 한다고 생각했습니다. 플라톤이 생각하는 철학자란 위기가 닥쳤을 때 도움을 주고 의미가 결여된 사람에게 의미를 찾아주는 특공대였기 때문입니다.

중세를 지나며 끊겼던 이성 중심의 서구 철학은 르네상스에 와서 다시 새롭게 출발했습니다. 세상의 근원과 인간 사회의 복잡한 관계를 규명하려는 철학자들이 탄생했습니다. 지구는 움직이지 않는다는 종교 권력의 강압적 세뇌에 맞서 지구가 태양을 중심으로 돈다는 지동설을 주장해 지구 중심설을 뒤집은 코페르니쿠스(1473~1543), 이를 입증하기 위해 노력한 갈릴레이(1564~1642) 같은 사람들은 천체를 통해 세상을 정확히 보는 노력을 기울인 철학자입니다.

"나는 생각한다. 고로 나는 존재한다"는 말을 남긴 데카르트(1596~1650), 세상이 모순에 의해 변화·발전함을 설파한 헤겔(1770~1831), 창조론을 극복하며 생물의 진화를 연구해 지구 생명의 신비를 밝히는 데 기여한 다윈(1809~1882), 산업혁명 이후 고도로 발달한 시대임에도 노동하는 사람들이 점점 가난해지는 이유를 밝혀내기 위해 평생을 바친 맑스(1818~1883)도 진실에 접근하려 노력한 철학자입니다. 이 외에도 무수히 많은 철학자가 자기 눈으로 진실을 보기 위해 노력했고 세상에 영향을 끼쳤습니다.

우리는 세상이 정해놓은 대로 살아갑니다. 왜 그래야 하는지 따져볼 생각조차 하지 않습니다. 초등학교에 입학하는 이유는 그저 다음 상급학교에 진학하기 위한 것처럼 보입니다. 그렇게 대학까지 나오면 당연하게 취업해 돈 버는 일에 나섭니다. 또는 자영업에 뛰어들어 자기 사업을 합니다. 자본주의 방식은 태곳적부터 있었던 것처럼 느껴집니다. 숨 쉴 틈 없이 바쁘게 살아야 하는 이유를 짚어 볼 겨를도 없이 젊음을 보내고 노년을 맞습니다. 이러한 삶의 방식은 대를 잇습니다.

철학을 지식으로 이해하는 데에서 그친다면 우리 삶에 무슨 큰 의미가 있겠습니까. 철학적 사고를 통해 눈앞의 현실을 직시하고 모순의 원인과 해결 방법을 찾아내어 미래의 삶에 보탬이 될 때라야 비로소 철학은 살아 숨 쉬게 될 것입니다. 그러한 과정이 공부입니다. 그런데 글로 된 문헌을 찾아보는 것뿐만 아니라 사유를 통해 자기 삶에 반영해야 제대로 된 공부라고 할 것입니다. 그러한 시간이 쌓이면 사람이 바뀌고, 이어서 삶이 변합니다. 그러니 생각 자체가 아니라 철학을 바로 세우고 사람답게 생각하며 실천하는 태도가 중요합니다.

불신을 전제로 하는 민주주의 제도

헌법은 국민이 대한민국의 주권자임을 명시하고 있습니다. 권력이 국민에게서 나온다는 말은 국민이 자신의 역할을 게을리해서는 안 된다는 뜻이기도 합니다. 그럼에도 투표하는 것만으로 주인의 책임을 다하고 있는 것으로 착각하고 있는 것은 아닌지 돌아봐야 합니다.

출마자의 몇 마디 헛공약에 속는다면 인생을 송두리째 넘겨주게 됩니다. 속이는 사람 잘못이 크긴 하지만 본질적으로는 주권자가 자기 책임을 다하지 않는 잘못이 더 큽니다. 그 결과는 자신과 자녀의 삶까지 피폐하게 만들 수도 있습니다.

민주주의 제도는 불신을 전제로 합니다. 서로 믿고 살면 좋겠지만 역사의 경험은 권력을 제도로 통제해야 한다는 교훈을 남겼습니다. 그래서 선거에 후보로 나선 사람의 말은 일단 의심부터 하고 검증 절차를 까다롭게 합니다. 돋보기를 들이대며 후보끼리 싸움을 붙여 허점을 찾아내려고 합니다. 대통령(행정부)이 막강한 권한을 함부로 행사하지 못하도록 국회(입법부)를 두어 국정감사와 국정조사를 합니다. 사법부까지 권력의 견제에 합류시켜 어떻게 해서든 주권자인 국민의 권리가 잘 지켜질 수 있도록 다양한 장치를 만들었습니다. 형식적인 장치만이라도 잘 운영된다면 민주주의의 반은 성취한 것이나 마찬가지입니다.

민주주의 국가에서 선출된 권력은 모두를 행복하게 할 의무가 있습니다. 그런데 권력은 군림하려는 속성을 지니고 있습니다. 특히 부당하게 권력 쥔 자들은 어떻게 해서든 자기 행동에 정당성을 입히고 사람들의 눈과 귀를 멀게 해 사리사욕을 채우는 데 힘을 쏟습니다. 그 결과 지금도 최면에서 깨어나지 못한 채 반란군을 그리워하는 사람들이 있습니다. 괴테(1749~1832)의 말처럼 자유롭다고 착각하는 노예 상태가 된 것입니다.

대통령이 잘못을 저질러도 국민의 손으로 뽑았으니 임기 동안 믿고 지켜보자는 사람들이 있습니다. 하지만 자신이 선출한 정치인을 향해 늘 감시의 눈을 부릅뜨는 것이야말로 진정한 지지자의 모습입니다.

2017년 봄 대한민국은 국민에 의해 대통령이 쫓겨나는 일을 경험했습니다. 당시 대통령 박근혜가 문서로만 보고 받는 것이 알려졌습니다. 그러자 방에서 무엇을 하길래 나오지 않는가 하는 의혹의 눈초리와 지탄이 쏟아졌습니다. 그런데 방송 카메라 앞에 나타난 그는 태연한 표정으로 굳이 대면보고가 필요하지는 않다고 말했습니다.[12] 온 국민의 생존을 책임지는 국정 책임자의 생각 없는 듯한 행태는 모두를 불안하게 하기에 충분합니다. 그러한 태도 자체가 죄악인 까닭입니다.

---

[12] 2015년 1월 12일의 신년 기자회견에서.

생각의 무능

제2차 세계대전 당시 수백만 명의 사람을 가스실에 가둬 죽인 총책임자 아이히만. 그는 독일 패전 후 아르헨티나에 숨어 살다가 이스라엘 정보기관원들에게 붙잡혔습니다. 1961년 이스라엘에서 열린 재판에서 그는 다음과 같이 항변했습니다. 자신은 독일 공무원으로서 직분을 다 한 것이며 만약 성실하게 임무를 완수하지 못했다면 오히려 그 점이 수치스러울 것이라고.

미국에서 건너가 이를 지켜본 철학자 한나 아렌트는 아이히만의 죄가 다름 아닌 '생각의 무능'에 있다고 결론 내렸습니다.[13] 또한 생각의 무능이 다른 두 가지와 서로 긴밀히 연결되어 있다고 설명합니다. 말하기의 무능, 그리고 타인의 입장에서 생각하기의 무능입니다. 이 중 다른 사람의 입장에서 생각하지 못하는 것은 판단력이 없음을 의미합니다. 판단 능력이란 옳고 그름을 가리는 능력을 의미하며 사유나 의지와 마찬가지로 모든 사람이 가지고 있는 것이라고 이해했습니다.

그런가 하면 말하기의 능력은 사유하는 능력과의 연관 외에 다른 특징들도 가지고 있다고 봤습니다. 다른 사람으로 하여금 현실을 알게 하는 역할을 함으로써 변화를 기대할 수 있게 한다고 생각한 것입니다.

---

13 한나 아렌트, 『예루살렘의 아이히만』, 김세욱 옮김, 한길사, 2017, 106쪽.

인류가 지금까지 생존할 수 있었던 데에는 긴 육아 기간이 크게 기여했습니다. 십여 년 이상의 유아기와 유년기를 거치는 동안 사회화를 배우고 터득합니다. 다른 사람의 감정을 살피면서 표정과 몸짓 그리고 언어를 통해 희로애락의 감정을 나눕니다. 다양한 방식으로 교류하며 갈등과 화해, 타협과 공존을 익힙니다. 이러한 교육 과정은 공동체를 지탱하게 하는 핵심 요소였습니다.

그런데 언제부턴가 우리 사회는 대화가 끊겼습니다. 심지어 부부간에도 하루 1시간 미만 대화하는 경우가 52.5%에 이릅니다.[14] 대화의 단절은 곧 사람 간에 관계가 끊겼졌음을 의미합니다. 갈수록 심화하는 소통의 부재는 말하기의 무능과 타인에 대한 이해의 무능으로 연결됩니다. 그 결과 사회는 파편처럼 흩어집니다.

한편, 아렌트는 누구나 조건만 만들어지면 악인이 될 수 있다는 '악의 평범함'을 설파하기도 했습니다. 누구라도 독재자의 하수인이 될 수 있다는 뜻입니다. 우리 역사에는 일제에 부역한 친일파에서부터 군사 반란에 동원되어 국민에게 총칼을 휘두른 군인들 그리고 독재 세력의 하수인이었던 고문 경찰까지 수많은 아이히만이 있었습니다. 이들 중 누구도 역사와 국민 앞에 용서를 빈자는 없었습니다. 어쩌면 아이히만이 그랬던 것처럼 공무원으로서 시키는 일을 열심히 했다는 자부심으로 살고 있을지도 모릅니다.

---

14 「가족실태조사」, 여성가족부, 2024.

자기 눈으로 보기

자신에 관해 설명할 수 있는 사람은 얼마나 될까. 태어난 곳과 이름, 출신학교, 다니는 직장과 가족 등을 언급할 수 없다는 조건을 붙인다면 어떻게 설명할 수 있을까. 나는 누구이며 무엇을 하며 사는가. 내 삶과 연관된 모든 사람과의 사이에서 벌어지는 일들, 사회구조는 어떠한 방식으로 내게 영향을 끼치는가.

영화 〈기생충〉

'기생충, 봉준호의 계급 투쟁'
'Gisaengchung (Parasite), class struggle by Bong Joon-Ho'

2019년에 칸 영화제가 봉준호 감독의 작품 〈기생충〉을 소개한 글의 제목입니다.[15] 하지만 대한민국 안에서는 그러한 관점이 잘 보이지 않는 점이 흥미롭습니다.

영화에는 세 가족이 등장합니다. 부자 가족, 가정부와 그의 남편, 이 집에 취업한 사기꾼 가족입니다.

부잣집 가장은 IT 기업의 대표입니다. 비교적 젊어 보이는 부부는 보통 사람이 평생 노력해도 살 수 없을 것 같은 유명한 건축가가 지은 집을 가지고 있습니다. 가정부와 운전기사도 따로 두고 있습니다. 가정부 부부는 대한민국에 유행처럼 번졌던 대만 카스텔라 사업 경험이 있습니다. 그런데 잘못되어서 사채까지 빌리고 갚지 못한 채 쫓겨 다니는 신세입니다. 아내는 가정부로 일하고 남편은 지하에 아무도 모르게 숨어지낸 지 몇 해째입니다.

사기꾼 가족 역시 역시 대만 카스텔라 사업 경험이 있습니다. 가장은 부진한 사업을 접은 후 주차를 대신해 주는 발렛파킹을 하기도 했습니다. 나름 건실하게 살았던 흔적이 보입니다. 자녀에 대한

---

15 칸 영화제 홈페이지(https://www.festival-cannes.com/en/2019/gisaengchung-parasite-class-struggle-by-bong-joon-ho)

교육열도 있었던 것 같습니다. 그렇지만 현재는 비 오면 방이 물에 잠기는 반지하에 살고 있습니다. 이들은 서로 가족이 아닌 척하며 가정부와 운전기사, 가정교사로 취업해 부잣집에 침투했습니다.

가난한 두 가족은 부잣집에 붙어 살기 위한 다툼을 벌이며 상대를 제거하려고 합니다. 그런 상황을 부자 가족은 전혀 눈치채지 못합니다. 순수하고 구김 없는 부자는 잘 속습니다. 이에 반해 가난한 사람들은 거짓과 모략이 일상입니다. 두 부류의 대비는 극명합니다. 그러니 기생충은 누가 봐도 가난한 두 가족 중 하나가 확실해 보입니다.

그런데 영화를 보고 나서 궁금한 점이 남았습니다. 첫째, 부자인 젊은 부부는 어떻게 그 정도의 큰 부를 쌓았을까. 그들이 부를 쌓는 과정은 어떠했을까. 이들의 부모는 어떤 사람이었을까. 부자가 되면서 누군가에게 기생충이었던 적은 없었을까. 둘째, 가정부의 남편은 어떤 사기를 당해 인생이 망가졌을까. 얼마의 금액을 어느 정도의 이자로 누구에게 빌렸기에 살해 위협을 피해 숨어 지내는 것일까. 셋째, 과거에는 정상적인 가정이었던 것으로 보이는 사기꾼 가족이 남을 등치는 사람들로 변하기까지 어떤 과정이 있었을까 하는 것들입니다. 한 가지 더, 영화 제목이자 가장 중요한 대목으로 기생충은 누구일까 하는 의문입니다.

영화의 절정 부분에서 죽어가는 사람 주위를 피 냄새 맡은 파리 한 마리가 맴돕니다. 파리 입장에서 누군가의 죽음보다는 피를 빠는 일이 더 중요했을 것입니다. 이 장면은 상징적입니다. 인간 세상도 별반 다르지 않기 때문입니다. 폐업하는 가게를 보면 그렇습니다. 밀린 월세, 전기와 수도 요금, 대출 원금과 이자 등, 망했다고 봐주는 법은 없습니다. 끝까지 찾아내어 가져갑니다. 그렇지 않으면 신용불량자가 되어 사실상 사회적 사망선고를 받게 됩니다. 영화의 가난한 두 가정은 이러한 상황에 부닥친 것으로 보입니다.

자본주의 사회는 자본과 노동 두 계급으로 나뉩니다. 그러므로 '계급 투쟁'은 자본가와 노동자 사이의 다툼을 의미합니다. 영화에서는 가난한 두 가족 간에 투쟁이 벌어집니다. 이들은 같은 계급이기 때문에 둘의 싸움은 '계급' 투쟁이 아닙니다. 또한 두 가족 모두 부자를 존경하고 있으니 그 역시 투쟁 대상이 아닙니다. 그런데 왜 칸 영화제는 이 영화를 계급 투쟁이라고 소개했을까요. 누구와 누구의 계급 투쟁이라는 것일까요.

자본주의 사회에서 부자란 온갖 상품을 살 수 있는 돈을 소유한 사람입니다. 아무리 노력했더라도 돈을 가지고 있지 못하면 가난한 사람입니다. 그러니 수단과 방법을 안 가리고 어떻게 해서든 부를 거머쥐기 위해 안간힘을 씁니다. 부를 얻으려면 권력이 있어야 하고 권력은 부가 뒷받침되어야 하니 둘은 떼려야 뗄 수 없는 관계입니다. 그래서 정경유착은 필연입니다.

노예의 변증

고대 그리스나 로마를 배경으로 하는 영화를 보면 좋은 옷을 걸친 귀족들이 웅장한 멋진 건물에서 술과 맛있는 음식을 먹는 장면이 나옵니다. 이들 곁에는 노예들이 악기를 연주하거나 춤을 추고 있습니다. 집 안의 다른 노예들은 음식을 나르거나 분주히 움직입니다.

어느 날 노예 중 한 사람이 이런 생각에 잠깁니다. 귀족들이 살고 있는 건물을 누가 지었을까. 저들이 먹는 음식과 멋진 옷은 누가 만든 것일까. 귀족이 스스로 노력해서 만든 것은 무엇이 있을까. 그렇다면 귀족은 노예가 아니면 존재할 수조차 없을 것 같은데 왜 우리는 저들의 삶에 필요한 모든 것을 만들어 바치면서 찔끔 던져주는 것에 감사하며 받아먹는 것일까. 결국 모든 것을 생산하는 자신들이 세상을 움직이는 주인공이라는 데까지 생각이 이릅니다. 삶에 영향을 끼치는 것들 사이의 내적 연관에 대해 자기 눈으로 파악하는 힘을 지니게 된 것입니다. 이것이 '노예의 변증' 철학입니다.

사람이나 사물 그 어떤 것도 가만히 있는 상태에서는 변화가 없습니다. 자극을 주거나 부딪혔을 때 변화가 일어납니다. 안정된 상태에 변화를 주는 힘이 작용해 부딪히며 어우러질 때 새로운 무언가로 발전합니다.

철학을 세워야 삶이 보인다

자본주의 세상에서도 돈과 권력을 가지지 못한 사람은 노예나 다름없는 삶을 삽니다. 때에 따라서는 더 비참한 현실을 맞이하기도 합니다. 하지만 노예라는 생각조차 하지 못하도록 끊임없이 세뇌당합니다. 그 결과 인간성은 사라지고 정치적 차별과 경제적 곤궁으로 인해 몸과 마음의 상처만 깊어집니다. 많은 전문가가 사회 문제에 대한 해결책을 내놓지만 대부분 결과만 뒤쫓을 뿐 본질을 들여다보는 처방은 나오지 않습니다. 그들이 세상을 보는 잣대는 본질에 다가설 수 없는 한계를 지니고 있기 때문입니다. 누구의 눈으로 세상을 보는가에 따라 원인 분석과 해결 방안이 달라질 수밖에 없는데 그 기준이 되는 관점이 곧 철학입니다.

21세기에 살고 있지만 앞의 고대 노예처럼 자각하는 사람은 드뭅니다. 오히려 취업해서 최저임금이라도 받을 수 있음에 감사하며 긍정의 마음으로 사는 사람이 대부분입니다. 열심히만 살면 얼마든지 성공한 인생을 살 수 있다고 믿거나 노력하는 과정 자체가 행복한 삶이라며 신기루를 향해 해맑게 걸어갑니다. 그에 반해 의문을 품은 사람도 있긴 합니다. 평생 열심히 일하는데 왜 가난을 벗어나지 못하는지, 생존에 턱없이 부족한 임금을 받는 취업이 무슨 의미가 있는지 질문합니다. 그러다 보면 사회 구조적인 문제에 시선이 멈추게 됩니다. 결국 사회를 변화시켜야 나은 삶을 살 수 있다는 확신을 하고 실천에 나서게 됩니다.

그런데 이 유형의 사람에게는 남 탓, 사회 탓만 하는 낙오자 또는 몽상가라는 딱지가 붙습니다. 기득권 세력은 힘들게 사는 사람들이 가난한 이유가 부모를 잘 못 만났거나 공부를 열심히 하지 않아 좋은 대학 나오지 못한 탓이라며 공격을 해댑니다. 심지어 같은 처지인 서민과 노동자 대부분도 그러한 공격 대열에 가담합니다. 권력의 선전기관인 신문·방송에 뇌를 장악당했기 때문입니다.

　고대 노예가 그랬듯 자신의 상황을 자각하여 삶의 주인이 되려고 노력해야 합니다. 모순을 찾아 없애고 세상을 바꾸기 위해 나설 때라야 인간다운 삶을 향한 변화가 가능해집니다. 그렇기에 자기 눈으로 세상을 정확히 보는 힘인 철학은 멀리 있는 철학자의 것이 아니라 하루를 살아가는 평범한 사람의 일상에서 필요합니다. 지금 당신은 누구의 눈으로 세상을 바라보고 있습니까.

2장. 받아봐야 줄 수 있다

콩 심은 데 콩 난다

세상 무엇도 완전한 창조물은 없다. 앞에 있는 것으로부터 영향을 받아 새로움을 더하며 변화 발전한다. 그 과정에서 긍정과 부정이 엎치락뒤치락한다. 삶에서 그러한 순리를 경험하지 못하며 성장한 사람은 자녀나 젊은이에게 긍정의 힘과 철학적 성숙을 전하는 대신 지적질과 화를 표출한다.

지존파

1994년에 발생한 일명 '지존파 사건'은 사람이 악행을 저지를 수 있는 한계가 어디까지인가 그러한 일이 일어나는 근본 원인이 무엇인가에 대해 우리 사회를 깊은 고민에 빠뜨렸습니다. 이들의 잔인한 행위에 대해 사회적인 규탄이 들끓었고 이 같은 범죄를 예방하기 위한 방안들이 제시되었습니다. 하지만 본질적인 분석과 사회 변화에 고심하기보다는 즉흥적인 이목 끌기 식 대책만 쏟아졌습니다.

당시 유명했던 정신과 의사가 텔레비전 방송에 나와서 악의 씨는 따로 있기 때문에 처음부터 없애야 한다고 강변할 정도로 광기 가득 찬 때였습니다. 그런가 하면 충효 사상이 사라졌기 때문에 흉악 범죄가 발생하는 것이라며 학교에서 학생들에게 한복을 입혀 절하는 법을 가르치는 등 예절 수업을 강요했습니다. 결국 국가가 내놓은 대책은 형벌 강화뿐이었습니다.

1997년 12월 30일에 임기를 두 달여 남겨 놓은 대통령 김영삼은 지존파를 포함한 사형수 23명에 대한 사형 집행을 명령 했습니다. 그에 반해 지존파보다 훨씬 많은 사람을 죽인 죄로 감옥에 있던 전두환과 노태우는 사면을 단행하여 풀어 주었습니다. 그 하루 전인 29일 가톨릭의 김수환 추기경이 청와대를 방문해 사형 집행을 하지 말아 달라고 당부한 터였습니다.

엽기적인 범죄를 저지른 지존파 사건을 담담하게 그려낸 다큐 영화 〈논픽션 다이어리〉에는 지존파를 체포하고 수사했던 전직 경찰관이 등장해 당시를 회고하며 현재 자기 생각을 덧붙입니다.

사건이 벌어진 곳은 범인들의 고향 마을이었습니다. 경찰이 지존파 일당이 현장 검증을 하는 동안 마을 사람들이 구경했습니다. 인터뷰에 응하던 전직 경찰관은 당시 주민 중 누군가가 "동네 창피해서 얼굴 들고 다니지 못하겠다"고 말하는 소리에 화가 났었다고 합니다. 십 대 시절을 방치된 채 보낸 아이들이 이렇게 되기까지 동네 사람들은 무엇을 했는가경 동네라는 사회도 책임이 있었던 것 아닌가 하는 생각이 들었다는 것입니다.

지존파의 우두머리는 초등학교 시절 수업 준비물을 가져가지 못해서 선생님께 혼나곤 했습니다. 아버지의 배우자가 여럿 바뀌는 동안 자신이 어머니라고 불러야 하는 사람이 다섯 명이나 되었던 이 아이는 그러한 환경 탓에 돌봐 주는 이가 없었습니다. 한 번은 다른 학생 것을 훔쳐 준비물 검사를 무사히 통과했고 선생님으로부터 칭찬까지 받았습니다. 이 경험은 결과만 얻을 수 있다면 수단 방법은 중요치 않다는 생각을 깊이 새겼습니다. 그렇게 세상의 진리를 깨달았다고 착각한 아이는 성장 후 끔찍한 범죄를 저지르고 형장의 이슬로 사라진 것입니다. 그런데 호송차에서 내려 법정으로 향하는 그의 외침이 텅 빈 공간을 울립니다.

"전두환 노태우도 살아 있는데 왜 나만 죽어야 해!"

이들의 수감 기간에 교도소를 찾아 면담했던 수녀님은 오래 지난 일임에도 눈물 흘리며 안타까운 마음을 이야기합니다. 가정에서 따뜻하게 안아줄 수 있었다면, 마을과 학교에서 조금만 세심하게 봐주었더라면 이렇게 되지는 않았을 것이라고 말입니다.

하지만 마을 공동체는 가장 먼저 사라졌고 가정은 각자 잠자러 들어갔다 나오는 곳이 되었습니다. 콩나물시루 같은 학교는 판매할 상품을 골라내는 감별 공장 역할을 맡은 지 오래입니다.

미래의 주인으로 성장할 십 대 청소년은 하루 중 대부분 시간을 학교에서 보냅니다. 태어나는 순간 자동으로 대한민국 국적을 취득하고 초등학교에 입학한 후 최소한 9년을 의무적으로 학교 안에서 보냅니다. 그러므로 이들이 민주주의를 익히고 주권자로 성장하는 데 있어서 학교의 역할은 매우 클 수밖에 없습니다. 이 기간 동안 가정과 학교는 성장 과정의 아이를 앞으로 나아가게 하는 두 바퀴입니다. 하지만 지존파 우두머리는 두 곳의 안전장치에서 도움을 받지 못한 채 아무 죄 없는 남들과 자신의 인생 모두를 허무하게 끝냈습니다.

성장의 텃밭인 공동체

전쟁과 가난을 딛고 일어서던 1970년대는 돈과 출세라는 가치를 요구했습니다. 좋은 학교 나와서 돈 많이 버는 직업을 얻는 것은 가문의 바람이었습니다. 갓 태어난 아기는 희망의 상징으로 그러한 기대를 안고 자랐습니다. 또래 관계가 형성될 나이가 되면 부모 손에 이끌려 어린이집이나 초등학교에 입학했습니다. 아이들의 장래 희망은 일단 대통령이 되어야 했고, 최소한 판사나 검사, 의사가 희망 직업으로 그 뒤를 이었습니다. 자신의 것인지 부모의 것인지 모를 꿈을 안은 채 기계적으로 산 것입니다. 꿈이 무엇이냐는 어른들의 질문은 어떻게 살겠냐는 뜻보다는 어떤 직업을 갖고 싶냐는 의미를 담고 있었습니다.

대한민국에서 성공하려면 단계별 경쟁에서 상대를 이겨야 합니다. 진 사람은 낙오자가 됩니다. 학교 운동회에서 벌이는 줄다리기라면 모두 즐겁게 웃을 수 있는 경쟁이지만, 진 편을 감옥에 보내거나 사형에 처한다는 단서를 붙인다면 긴장으로 손이 떨려 제대로 줄을 잡기도 힘들 것입니다. 그와 마찬가지로 평생을 긴장하며 경쟁 속에서 살아야 하는 대한민국에서는 승자나 패자 모두의 삶이 피폐해집니다. 이렇게 성장한 사람들이 사회 중심 세대가 된 오늘에 인간 존중이 시대정신으로 자리 잡기는 힘듭니다.

물신주의와 승리 지상주의에 취한 부모로부터 삶을 귀히 여기는 자녀가 나오기는 힘듭니다. 자녀가 행복하게 살길 바란다면 부모부터 인간 중심으로 보려는 노력을 기울여야 합니다. 돈보다 더 중요한 삶의 가치를 찾기 위해 노력해야 한다고 말할 수 있어야 합니다. 함께 사는 법을 배운 젊은이가 더욱 성숙한 어른으로 성장할 수 있기 때문입니다. 가정과 사회에서 존중받은 사람이 다른 이를 존중할 수 있으며 그런 사람들로 이뤄진 대한민국이라야 진정 민주주의가 흐르는 사회라고 할 수 있습니다.

세상이 정상적으로 돌아가지 않는 이유는 사람들이 정상에서 벗어나 있기 때문입니다. 청소년과 젊은이들의 삶이 버거운 까닭은 대한민국이 정상이 아닌 사회이기 때문입니다. 지존파 사건으로부터 수십 년이 지난 오늘에도 흉악범죄는 줄어들 기미를 보이지 않고 학교 밖을 맴도는 청소년은 늘어갑니다. 가정과 학교가 성적 좋은 학생을 골라내는 일에 몰두하고 취업률 증가에 매달리느라 자신의 존재 이유를 잊은 지 오래이기 때문입니다.

이제라도 가정과 사회 그리고 국가가 공동체로서 제 기능을 찾아야 합니다. 제도로서의 민주주의나 정치 형태로서의 공화국 이전에 존엄한 가치를 지니고 태어난 모든 사람이 행복하게 살아야 진정한 민주국가이기 때문입니다. 그것은 가장 인류다운 모습이기도 합니다. 콩 심은 데 콩 나고 팥 심은 데 팥 납니다.

학교 종이 땡땡땡

학교 종이 땡땡땡 어서 모이자
선생님이 우리를 기다리신다.
학교 종이 땡땡땡 어서 모이자
사이 좋게 오늘도 공부 잘하자.

이 노래가 발표된 1948년은 대한민국이 자주 국가로 출발하던 때입니다.[16] 일본에 침략당한 세월이 수십 년이니 삶의 모든 부분이 오염되는 것은 당연했습니다. 이를 극복하기 위해 민주공화국의 가치를 알리고 자주 국민으로서의 자부심을 키워야 했습니다. 그러려면 우리 글을 가르치는 일이 시급했습니다. 글은 공장에서 일할 노동자에게도 반드시 필요한 것이었습니다.

---

16 김메리 작사, 작곡

학교 종은 시작과 끝을 알립니다. 정해진 시각에 맞춰 공부하고 쉬는 시간이 되어야 쉴 수 있습니다. 수업 시간에 화장실에 가려다 간 선생님으로부터 핀잔을 듣거나 혼나기까지 하므로 참는 연습이 필요합니다. 학교라는 집단에서의 첫 사회 경험은 평생 그 방식을 몸에 간직한 채 시계에 맞춰 살아가게 합니다. 그러한 단체 규율 적응은 군대와 직장 생활에 자연스레 이어집니다.

이처럼 종 치면 모이고 시간이 되어야 마치는 방식을 몸에 익히게 한 학교의 증가는 대한민국이 단기간에 전근대적 농업 사회에서 공업 국가로 변신하는 데 일등공신이었습니다. 교육을 중요시하는 유교 문화의 전통이 있었던 데다가 배워야 잘 살 수 있다는 당시의 사회 분위기에 더해 미군정의 영향으로 자연스레 들어온 서구식 교육 방식이 산업 노동자들을 길러내는 데 크게 작용했습니다.

미군정

1945년 9월 2일 일본의 항복문서가 조인됨에 따라 미군 제24군단이 서울에 도착했다. 이어 9월 9일에 포고령 제1호로 '북위 38도 이남의 조선과 조선민에 대해 미군이 군정을 펼 것'이라고 발표했다. 미군정은 신문지법과 보안법 등은 존속시켜 통치에 활용했다. 1948년 8월 15일 대한민국 정부가 수립되면서 미군정은 끝났다.

1960년대 초 제조업에 투입된 신규 노동자들 대부분은 초등학교 이상의 교육을 받은 사람들이었습니다.[17] 학교에서 훈련받은 대로 공식적인 권위에 대한 복종, 정확한 시간관념 등 관료적 환경에서 조직적으로 노동하는 데 필요한 기본 소양을 모두 마친 후 공장에 투입되었습니다. 전쟁의 참화를 딛고 '한강의 기적'이라는 칭송을 들을 정도로 짧은 기간에 이룬 산업화와 자본주의는 그들의 눈물과 피땀이 있었기에 가능했습니다. 문맹 퇴치와 지적 향상은 개인에게 있어 보다 나은 인간의 조건을 제공하기도 했지만 그보다는 자본주의 국가에게 반드시 필요한 일이기도 했습니다.

우리보다 먼저 자본주의 산업화 과정을 겪었던 유럽 국가들은 수천 년 동안 수렵과 목축 농업 등의 노동을 하며 살아온 사람들을 공장노동자로 탈바꿈시키는 것에 애를 먹었습니다. 자연의 변화에 맞춰 노동하던 사람들이 정해진 시간 동안 답답한 공장 안에 갇혀 노동하는 것은 오늘 우리가 상상하는 것보다 훨씬 힘든 일이었기 때문입니다.

우리는 그들이 몇백 년 걸린 과정을 불과 수십 년 만에 마쳤습니다. 급히 먹다 보면 체하기 마련이듯 공정하지 못한 사회 구조 속에서 진행된 압축 성장은 온갖 무리가 따를 수밖에 없었습니다. 그러한 모순들은 세월이 흐르는 동안 겹겹이 쌓여 이제는 도저히 해결할 수 없는 많은 부작용을 유산으로 남겼습니다.

---

17 구해근, 『한국 노동계급의 형성』, 창비, 2010, 80쪽.

규율과 폭력에 길들다

학교는 획일과 상명하복, 징벌과 폭력이 정당화되는 공간이었습니다. 해방 이후 오랜 동안 독재와 군사 반란군의 공포정치를 겪으며 학교는 그들의 선전장이 되기도 했습니다. 그런 분위기에 순응하며 자란 사람들이 민주와 인권이 흐르는 세상을 만들 수는 없는 일이었습니다.

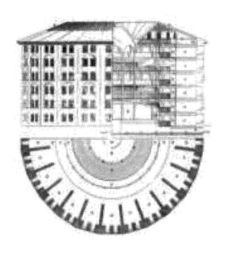

파놉티콘(Panopticon).
노동자를 효율적으로 감시하고 통제하기 위한 시설. 제러미 벤담이 구상해 설계했다. 감옥, 군대, 학교와 병원 등 시설에 적용되었다. 오늘날 범죄 예방과 안전 관리 목적으로 설치된 CCTV도 같은 기능을 한다. 개인의 차량마다 장착된 블랙박스는 촘촘하게 서로를 지켜보는 감시 도구가 되었다. 안전과 감시, 인권 보호와 인권침해는 동전의 앞뒷면과 같이 양면성을 지니고 있다.

학교 문을 나서 취업해도 기한 내에 목표한 생산량 달성을 위해 자유와 자율은 억눌렸고 질서와 명령이 우선했습니다. 공장에서 폭력과 인권 침해가 일상적으로 발생했지만, 문제 제기조차 할 수 없었습니다. 오히려 나라의 발전과 회사의 성장을 위해 견디도록 강요당하는 분위기 속에 목소리를 내는 사람은 불순분자로 찍히기 일쑤였습니다. 회사의 발전이 국가의 발전이요 나라가 부강해져야 국민의 삶이 나아질 것이라는 교육은 배고픔과 육체적 고통을 참아내며 일할 수 있게 했습니다. 또한 임금과 스승과 아버지는 동급이라는 군사부일체 인식이 있던 이 시대에 월급을 주는 사장님 역시 그림자조차 밟아선 안 되는 스승님과 같은 권위의 상징이었습니다.

1980년대 초까지만 해도 남학생은 중학교에 들어가면 머리를 빡빡 밀어야 했습니다. 여학생도 개성은 금지되어 단발 아니면 땋게 하는 등 학교가 정한 규칙을 따르게 해 이를 어기면 징벌이 따랐습니다. 지금은 사라진 검은색 교복 역시 강제 규정이었습니다. 고등학교에는 교련 수업이 있어서 제식훈련을 통한 규율과 질서가 자연스레 스며들었고 모의 총검으로 사람을 가장 빠르고 쉽게 죽이는 방법을 배웠습니다. 분단 조국의 단면으로 치부하기엔 십 대 청소년들의 인성 형성에 끼친 부정적인 영향이 너무나 컸습니다. 이런 사회에서 폭력이 난무하지 않는다면 오히려 이상한 일입니다. 그렇게 성장한 사람들이 기성세대가 되면서 만들어온 세상이 오늘의 대한민국입니다.

차별은 존재한다. 살아남자!!!

짧은 동안에 국가적 목적을 달성하려다 보니 인간성과 공동체 정신은 뒷전이었습니다. 효율이 우선이었고 순위를 정해 서로 경쟁시켰으니, 사람은 한낱 소모품에 불과했습니다. 학교에서조차 우·열반으로 구분 지어 성적 좋은 학생은 우대를 그렇지 못한 학생들은 멸시와 천대 속에서 숨죽인 채 살아야 했습니다. 이러한 청소년기를 지나 성인이 된 사람들은 어떤 가치를 지닌 채 살아가고 있을까요. 오늘 대한민국의 수많은 모순과 부정적인 모습은 이 같은 발전 과정의 결과물입니다.

급속한 산업화는 사람들 삶의 질에 큰 영향을 끼쳤습니다. 하지만 반민주적인 독재 세력들과 그에 부합하는 소수의 가진 자들이 폭압적으로 이끌어 온 결과 그 병폐는 고스란히 우리 모두의 몫으로 남아 있습니다. 그런 가운데 학교의 역할은 결정적이었습니다. 한 고등학교 교실에 걸린 글귀가 바로 옆 태극기에 담긴 의미를 무색하게 합니다.

백 년을 내다보고 진행하는 교육은 그 자체로서 커다란 자산입니다. 그렇기에 교육의 필요성은 아무리 강조해도 지나치지 않습니다. 그런데 여기서 중요한 것은 교육이 어떤 목표를 향하고 있으며 누구를 위해 필요한 것인가 하는 점입니다. 말할 것도 없이 주권자인 국민 한 사람 한 사람의 건강한 삶과 경제적 풍요를 이루는 것이 최종 목표가 되어야 할 것입니다. 그러려면 민주주의의 가치를 알리고 각자 자기 철학을 키워나가는 데 도움을 주는 교육이 이뤄져야 합니다. 그러한 과정을 거치며 성장한 사람들이 탄탄하고 아름다운 대한민국을 만들 수 있기 때문입니다. 하지만 아쉽게도 현실은 그렇지 못합니다. 헌법 정신과 달리 차별은 존재하며 살아남는 일은 각자의 몫입니다.

군대에서 스러지는 청춘

평화 수호라는 이유로 군대를 유지하고 전쟁을 준비한다. 상설 군대의 등장으로 전쟁 준비에 평생을 보내는 직업이 생겼고 징병제에 의해 모든 젊은이가 군대에 가야 한다. 문제는 이유가 무엇이든 간에 군대가 지니고 있는 인격 말살과 폭력에 젊은이들이 무방비로 노출된다는 사실이다. 진정한 평화를 지속시킬 혜안이 인류에게는 없는 것일까.

유명 연예인의 병역 기피 소식이 알려지면 대한민국 전체가 뜨겁게 달아오릅니다. 병역은 누구나 해야 할 성스러운 일이라는 믿음이 있기 때문입니다. 군대 경험을 자랑스러워하는 경우는 있어도 창피하게 생각하는 사람은 없습니다. 특수부대 같은 힘든 곳에서의 복무 경험을 자부심으로 삼기도 합니다. 병역을 권장해야 할 일이라고 생각하는 것입니다.

그런가 하면 우리 사회는 국위선양 한 사람에게 병역을 면제해 주는 것을 자연스러운 일로 받아들입니다. 올림픽이나 국제경기에서 메달을 따면 병역 의무를 면제해 줍니다. 이에 대해서 항의하거나 부끄러워하는 당사자는 없습니다. 자랑스러운 병역의 의무를 하지 못하게 국가가 막는다면 이는 벌을 내리는 것이 아닌가 싶은데 말입니다. 병역이 신성하고 자랑스러운 의무이니 메달리스트에겐 군대를 한 번 더 가도록 배려해 줘야 하는 것은 아닌지 의문에 빠집니다.

이러한 현실을 볼 때 병역이 권장 사항인지 기피할 일인지 헷갈립니다. 병역 면제를 상으로 주는 것을 보면 병역은 권장 사항이 아니라 피해야 할 것임을 모두 인정하는 것으로 생각됩니다. 이는 모순에서 벗어나기 어려운 주제입니다. 병역 관련한 뉴스가 사회적으로 큰 관심을 일으키는 이유는 누구에게나 직간접으로 해당할 수 있는 사안이기도 하지만 입대해야 하는 당사자에겐 황금기를 속박의 부자연스러움 속에서 보내야 한다는 것과 인생 전반에 깊은 영향을 끼치는 문제라는 점 때문일 것입니다.

남과 북으로 갈라진 우리는 지금도 군사 대치 상태입니다. 이런 상황에 있다 보니 태어나면서부터 군대와 무기를 가깝게 접하며 삽니다. 익숙한 만큼 군대가 우리 삶에 끼치는 영향도 매우 큽니다. 모든 국민은 국방의 의무가 있고 특히 남성은 군대에 가야 합니다.[18] 복무 기간 내내 제한된 공간에서 완전히 통제된 생활을 합니다. 그래서 군대는 가정과 학교에 비해 짧은 기간임에도 더 깊은 흔적을 남깁니다. 아직은 감수성이 예민한 성장기의 젊은이들이 한 사람의 민주 시민으로 성장하는 데 부정적인 영향을 받을 수밖에 없는 삶의 여정이 군대입니다.

　군대는 젊은이의 자아 형성에 깊이 개입합니다. 세상 보는 눈을 왜곡시켜 삶 전체를 뒤틀리게 하거나 망가뜨리는 계기가 될 수도 있습니다. 차가운 겨울바람 속에서 문제없는 아이도 있지만 쉽게 감기 걸리는 아이도 있듯 군대에서도 삶이 갈립니다. 그렇다면 누구나 군대에 가야 하는 징병제 틀에서 어떻게 해야 큰 상처 없이 병역을 마치고 제대로 살아갈 수 있을까요. 그것은 가능한 일일까요. 손잡아 주는 이 없는 꽉 막힌 환경에서 문제가 생긴다면 어찌해야 할까요. 군대에 대해서는 문제 제기조차 쉽지 않은 대한민국에서 모두 외면하는 사이에 일은 터지고 희생은 계속됩니다. 눈감고 귀를 막는다고 해서 아무 일 없는 것은 아닙니다.

---

18 헌법 제39조
　① 모든 국민은 법률이 정하는 바에 의하여 국방의 의무를 진다.
　② 누구든지 병역의 의무의 이행으로 인하여 불이익한 처우를 받지 아니한다.

과거는 흘러갔다

해안가 마을에 인접한 해병 부대가 배경인 영화 〈해안선〉. 주인공인 강 상병과 동료 군인들은 또래인 마을 젊은이들과 미묘한 긴장 관계를 형성하고 있습니다. 괜스레 시비를 거는 등 서로 티격태격하며 지냅니다. 그러던 어느 날 강 상병은 인생의 낭떠러지를 마주합니다.

해안 철책 밖 바다는 밤이 되면 군인들을 초긴장 상태로 만듭니다. 혹시라도 나타날지 모르는 적에 대비하고 발견 시 조처 하기 위해 신경에 날이 서 있습니다. 그러던 어느 날 야간 경계근무 중인 강 상병은 해안가에 나타난 흐릿한 사람 모습을 발견합니다. 민간인일 수도 있어 긴가민가하는 마음이 들었지만 그냥 총을 쏴버립니다. 그런데 확인 결과 총탄에 맞은 사람은 적군이 아니라 데이트하던 마을 청년이었습니다. 쓰러진 청년 곁의 여자 친구는 정신이 나간 채로 있었습니다.

민간인을 죽이긴 했지만 접근하는 자를 사살하는 것은 칭찬받을 일이어서 강 상병은 임무 수행을 잘한 군인으로 표창받고 휴가까지 얻게 됩니다. 그런데 이때부터 강 상병은 정신이상 증세를 보이기 시작합니다. 나을 기미가 보이지 않고 점점 심해지자 군대는 그를 제대시킵니다. 하지만 강 상병은 군복을 차려입고 다시 부대를 찾는데 이내 문 앞에서 쫓겨납니다.

이후 어느 날 군복 차림에 총검을 들고 서울 한복판 번화가에 나타납니다. 그리고 눈물 흘리며 '과거는 흘러갔다'라는 노래를 구슬피 부릅니다. 겨우 이십 대 초반일 젊은이가 무슨 과거가 있길래 눈물을 흘리는지 영화는 설명하지 않습니다. 결국 자신의 총으로 삶을 마감하는 비극적인 강 상병의 모습을 끝으로 막을 내립니다.

이 영화의 줄거리에는 명확한 것이 거의 없습니다. 늘 모여 노는 동네 청년들과 묵묵히 일과에 따라 임무를 수행하는 병사들, 때로 벌어지는 양 측 사이의 사소한 갈등 모습을 보여주는 것이 전부입니다. 그 안에는 활발한 병사가 있는가 하면 말수 적은 강 상병 같은 사람도 있습니다. 그들 각자 사는 방식이 다른 이유를 알 수는 없습니다. 어떤 환경에서 자랐는지, 입대 직전에 무슨 일이 있었는지 짐작할 수도 없습니다. 오직 결과만 있습니다. 주어진 임무에 따라 근무한 병사. 혹시 민간인일지도 모른다는 감정의 흔들림을 누르고 방아쇠를 당긴 주인공과 피해자. 강 상병의 죽음만 있을 뿐입니다.

영화의 주인공 강 상병은 그렇게 짧은 생을 마감합니다. 그런데 그의 동료 병사들은 어떻게 살고 있을까요. 사회에 나와 학업이나 직장생활에 잘 적응하며 살고 있을지 궁금합니다. 군대에 다녀온 남성들은 평생 군번을 잊지 않는다고 합니다. 그들에게 남아 영향을 끼치는 것이 과연 그 숫자 뿐일까요.

윤 일병, 임 병장

2014년에 터진 연천 윤 일병 사망 사건과 강원도 고성 임 병장 총기 난사 사건은 우리 사회에 큰 충격을 주었습니다. 윤 일병은 다수의 동료로부터 구타당해 사망했습니다. 발표에 의하면 거의 고문 수준의 괴롭힘을 당했다고 합니다. 그와 반대로 임 병장은 자신을 괴롭히는 동료들을 살해한 것으로 알려졌습니다. 이들 사건 발생 후 '참으면 윤 일병, 참지 못하면 임 병장'이라는 웃지 못할 이야기가 회자하였습니다. 참으면 결국 죽임까지 당할 수 있고 참지 못하면 가해자가 된다는 것입니다. 어떻게 해도 비극을 피할 수 없는 결론입니다. 두 사건의 공통점은 군대에서 발생했다는 것입니다. 군대는 통제된 공간으로 명령과 복종만이 존재하는 곳입니다. 기밀과 통제가 일상이며 인간성 존중보다는 오히려 말살되기 좋은 환경입니다.

두 사건은 군대의 폭력 문화에 대한 근본적인 문제점을 드러냈고 가혹행위가 만연한 현실을 보여주었습니다. 피해자 모두는 국가와 군대로부터 보호받지 못했습니다. 폭력에 무방비 상태로 노출되어 있었던 것입니다. 또한 조직적 은폐와 방조로 인해 나중에라도 제대로 된 상처 치유와 구제를 받지 못했습니다. 예방을 위한 근본 원인 규명은 손도 대지 못하고 사건 발생 후 대응 방법도 형식적일 뿐입니다. 군대에 대한 부정적인 이미지를 감추기 위해 비밀리에 군대 방식인 속전속결로 마무리합니다.

군대는 계급이 엄격하게 구분되는 조직입니다. 하급자는 상급자에 대한 복종을 강요받게 됩니다. 이러한 분위기 속에서 하급자는 쉽게 희생양이 될 수 있습니다. 군대가 주는 억압과 스트레스 속에서 괴롭힘의 방식이 상상을 넘어서기도 합니다.

임 병장 사건에서 보듯 계급이 낮은 다수의 인원이 한 사람의 고참을 괴롭히는 경우도 있습니다. 엄격한 통제와 감시가 이뤄지는 공간인 군대에서 집단 괴롭힘이 비밀리에 발생하는 것은 군대가 지닌 태생적인 한계입니다.

군 사망사고 현황(명)

	2020	2021	2022
계	55	103	93
안전사고	11	10	20
- 차량	1	8	6
- 항공/함정	0	0	5
- 익사	5	6	4
- 추락/충격	2	2	1
- 기타	3	3	4
군기사고	44	84	73
- 자살	42	83	70
- 기타	2	1	3

출처: 국방부

군사문화에 물든 대한민국

군대는 지휘 체계가 서야 신속한 작전 수행이 가능합니다. 계급의 기능은 효율적인 전투력 유지에 있습니다. 그러다 보니 계급장의 작대기 한 개 차이로 반말과 욕설도 감수합니다. 그런 병영 문화에 빗대어 '계급이 깡패'라는 말도 생겨났습니다. 젊은 날의 군대 경험은 몸에 깊이 배어 평생토록 차별과 억압에 쉽게 적응하게 해줍니다. 군대에서 체득한 눈치 빠른 줄서기는 사회에 나와도 이어집니다. 갑과 을, 정규직과 비정규직 등으로 엄격히 나뉘어 어찌보면 군대보다 더 엄격한 계급이 존재하기 때문입니다.

별 탈 없이 제대해도 눈에 보이지 않는 상처가 남을 가능성은 있습니다. 오랜 세월이 지난 후라도 언제 그때의 경험이 날카로운 흉기가 되어 드러날지 알 수 없는 일입니다. 날로 흉악해지는 범죄 뉴스를 보면서 성장기에 입은 상처들이 여기저기서 폭발하고 있는 것은 아닌지 생각하게 됩니다.

국가와 국민의 생명을 지키기 위해 군대가 필요하다고 합니다. 하지만 살상을 전제로 하기에 인간성 말살이라는 근본적인 모순을 지니고 있기에 적과 나를 동시에 겨누는 양날의 검입니다. 징집되어 소모품이 된 젊은이들은 인간성 훼손을 감수해야 합니다. 그 결과로 얻게 된 부정적 영향은 개인의 삶에 깊은 생채기를 낼 수 있습니다. 그러한 사람들로 이뤄진 대한민국은 폭발 위험이 상존하는 곳입니다.

6・25전쟁이 남긴 상처와 군사적 긴장을 극복하고 평화를 실현하는 일은 우리가 넘어야 할 과제입니다. 이제는 징병제 대신 모병제로 변화해야 한다는 목소리가 나옵니다.[19] 그렇게 되면 지금 군대에서 발생하는 많은 문제가 완화될 수 있을 것입니다. 그런데 그러려면 줄어드는 병사의 수만큼 일자리를 마련해야 합니다. 이 역시 쉽지 않은 일입니다. 여기서 알 수 있듯 사회문제는 한 가지의 측면만으로 볼 수 없는 것이며 전체 구조를 들여다봐야 합니다. 그러니 깊고 넓은 안목과 철학적 성찰은 이 문제에서도 필수입니다.

6·25 전쟁 피해 통계 현황(군인)

	전사	부상	실종 / 포로	계
한국군	137,899	450,742	32,838	621,479
북한군	520,000	120,000		640,000
유엔군	40,670	104,280	9,931	154,881
중국군	148,600	798,400	25,600	972,600

출처: 국가기록원

---

19 강국진, 「인구감소가 쏘아올린 모병제 논의, 현장에서도 '모병제 논의 서둘러야'」, 『서울신문』, 2023. 3. 26.

보수와 진보

1789년 프랑스 혁명 당시 기존의 왕정 체제를 지키려던 사람들은 보수 세력이었습니다. 이에 반해 새롭게 쌓은 부를 바탕으로 자신의 목소리를 내며 정치적 권리를 얻기 위해 싸운 사람들은 진보 세력이었습니다. 새로운 세력은 산업의 급속한 발전과 궤를 같이하면서 강자로 섰습니다. 그런데 자본의 힘으로 정치권력을 거머쥔 이들 부르주아는 새로운 시대의 보수가 되었습니다.

부르주아 (bourgeoisie)

자본주의 사회에서 재산을 기반으로 부를 더욱 늘려가는 계급이다. 프랑스어로 '성(城)'을 뜻하는 bourg에서 유래한다. 부를 축적한 계급은 안전하고 윤택한 성 내에 살고 그렇지 못한 계급은 위험하고 척박한 성외에서 살았으므로 생긴 명칭이다. 이 유래를 좇아 부르주아는 자본가계급을 뜻하게 되었고 반대 개념은 무산자를 뜻하는 프롤레타리아(노동계급)이다.

산업혁명의 열기는 변화를 불러왔지만, 자본주의 시대를 맞은 노동자는 다시 외면당했습니다. 부르주아는 쉴 새 없이 노동자를 쥐어짜면서 이윤을 늘렸고, 노동자는 숨 쉬는 것조차 힘든 환경에서 날로 힘들어졌습니다. 기계보다 못한 취급을 받던 노동자들은 결국 새로운 기득권을 대상으로 한 투쟁을 시작했습니다. 새로운 보수인 부르주아에 맞선 노동 계급 프롤레타리아는 자연스레 진보 세력이 되었습니다. 이처럼 어제의 진보가 오늘의 보수로 위치가 바뀌는 과정에서 새로운 진보가 등장합니다.

역사는 때에 따라 후퇴하는 듯 보여도 결국 앞으로 갑니다. 산을 오르다 보면 내리막과 오르막길을 번갈아 마주합니다. 내려갈 때는 정상과 멀어지는 것 같지만 반복하다 보면 결국 산꼭대기에 도달합니다. 진보와 보수는 번갈아 서로 영향을 끼치며 전진합니다. 노를 뒤로 저으며 배가 앞으로 나아가듯 기존의 것들을 뒤로 보내면서 새로운 진보가 역사를 앞으로 저어갑니다.

프롤레타리아 (Proletarier)

오직 자신의 노동 판매에 의해서만 생계를 유지하는 사회계급이다. 이 계급의 행복과 불행, 삶과 죽음, 그 생존 전체는 노동에 대한 수요에, 호경기와 불경기의 변천에, 고삐 풀린 경쟁의 변동들에 달려 있다. 프롤레타리아 혹은 프롤레타리아 계급은 한마디로 19세기의 노동계급이다.

엥겔스, 〈공산주의의 원칙들〉에서

진보도 보수도 없는 대한민국

대한민국은 진보나 보수가 사회에 뿌리내릴 틈도 없이 혼란과 무질서가 범벅된 채 지나왔습니다. 역사가 제대로 매듭을 지은 적이 없기 때문입니다. 친일 세력은 물론 군사쿠데타를 일으킨 반란군도 떵떵거리며 살았습니다. 대대손손 부와 권력을 쥐고 있는 자들 세상이었고 성공한 쿠데타는 처벌받지 않았습니다. 역사의 오물들이 정당화되었고 사회 모든 분야가 같은 방식으로 오염되었습니다. 힘센 자가 좌우하는 세상이 되어 승리가 곧 정의로 추앙받아 왔습니다. 진정한 정의와 인간다운 삶은 꿈 꿀 수 없었고 상식 없는 사회인 채로 몸집만 커져 버렸습니다.

스스로 보수 또는 진보라고 우기는 세력들이 있긴 합니다. 그런데 자칭 보수는 헌법 가치나 민주공화국의 건국 이념은 안중에도 없습니다. 땅 투기로 돈 벌었거나 반란군 주변에 기생한 자들이 보수 행세를 해왔을 뿐입니다. 그러다 보니 땅 투기의 진원지인 서울 강남과 독재자의 출신 지역 사람들을 보수로 분류하는 희한한 현상이 지속되고 있습니다. 투기꾼과 반란군 주변에 기생한 자들이 보수로 둔갑한 결과입니다. 그 결과로 해당 지역의 선량한 사람들조차 근거도 없는 분류에 포함되어 온 것입니다. 헌법 질서를 깨부수고 선열들의 건국 이념과는 정반대로 가는 자들이 보수일 수는 없습니다.

진보도 보수처럼 허울뿐인 경우가 대부분입니다. 제대로 된 진보라면 기존 질서의 틀을 딛고 보다 나은 가치를 향해 나아갈 수 있어야 합니다. 그러기 위해서는 역사를 바라보는 진지한 시각과 현실에 대한 깊은 이해 위에 모순을 극복할 새로운 가치를 제시할 수 있어야 합니다. 신분제 사회를 끝내고 근대로 넘어오는 과정에서 등장한 시민이 그러했듯 진보가 지녀야 할 핵심 요소는 주인의식입니다. 글이나 말로만 주인임을 선언하는 것을 넘어 사람이 사람답게 살 수 있는 세상을 향한 실천적 노력을 기울여야 시민이라고 할 수 있을 것입니다.

하지만 자칭 진보 세력 안에는 정치와 경제 주권자로 살기보다는 후보를 잘 골라서 투표하는 것을 목표로 삼는 사람이 많습니다. 이러한 자세는 점괘를 믿으며 요행을 바라는 것과 다르지 않습니다. 이런 지경이니 민주 세상이 되기엔 가야 할 길이 멀기만 한 대한민국입니다. 보수도 진보도 없는 대한민국에 정치와 경제 민주주의가 설 자리는 없어 보입니다.

보수, 진보에 관해 이야기하다 보면 함께 언급되는 것이 우파, 좌파입니다. 대한민국에서 좌파라는 단어는 중세 유럽의 마녀와 같은 효과를 발휘합니다. 일단 마녀로 찍히면 꼼짝 없이 죽음을 맞이했던 것처럼 우리의 독재자들은 반대 목소리를 내거나 민주주의를 갈망하는 사람에게 좌파의 굴레를 씌워 살해했습니다. 좌파 딱지가 전가의 보도였던 것입니다. 그렇다면 우파와 좌파라는 말은 어떻게 생긴 것일까요.

프랑스혁명 기간 중인 1789~1791년 사이에 국왕에게 남겨진 권한과 국왕의 거부권 문제로 의회가 분열되는 상황이 발생하게 되었습니다. 이 시기는 아직 루이 16세가 존재하던 때여서 왕의 권한을 어느 정도까지 인정할 것인가를 두고 의견 대립이 있었습니다. 의장이 바라볼 때 왼쪽에 자리 잡은 사람들은 국왕의 권한 축소와 대중의 기본권 보장을 요구하며 진보적인 주장을 폈습니다. 오른편에 앉은 사람들은 반대의 목소리를 냈습니다. 그것이 오늘의 대한민국에까지 이어져 오고 있는 것입니다.

좌파의 전통에서 '사회정의'라는 관념은 떼려야 뗄 수 없는 것이었습니다. '평등'은 좌파의 핵심 철학이었고 '사회적 연대'는 실천해야 할 목표였습니다. 좌파는 인민의 지배를 주장했고 옛 체제나 사회 경제적 지배계급, 부패한 기존 통치 집단을 끌어내리고자 했습니다. 억압적인 정치체제뿐 아니라 불평등한 사회구조가 인민의 주권을 부인하고 제약하는 것으로 여겼습니다.

역사는 사람이 만들어가는 것이기에 살아 숨 쉬는 생명체처럼 움직입니다. 그러므로 보수나 진보, 우파와 좌파 등의 분류 기준과 구체적인 내용은 시시각각 변하는 것이 정상입니다. 진보가 없다면 사회는 앞으로 나아갈 수 없습니다. 반면에 보수가 없다면 일정한 사회 유지가 어려울 것입니다. 보수와 진보가 앞서거니 뒤서거니 하면서 안정적인 발전을 거쳐 더 나은 사회로의 도약이 가능하게 됩니다. 새도 좌우의 날개로 납니다.

3장. 존엄에 관하여

보편적 인간의 탄생

생각하는 것만으로도 죽임을 당한 인류 역사. 그러니 생각할 수 있게 된 것은 천지가
바뀐듯한 변화였다.

문명화 된 인류 역사는 소수 힘 있는 자들 세상이었습니다. 나머지 대부분의 사람은 강자가 만든 규칙에 순응하면서 살아야 했습니다. 이 방식에 의문을 제기하거나 저항하는 사람에게는 가혹한 형벌이 따랐습니다. 지금도 크게 다르지 않습니다. '그래도 돈다'는 갈릴레이의 사례는 오늘날에도 다양하게 변형된 모습으로 우리 앞에 펼쳐집니다.

권력 쥔 자들은 틀에서 벗어나려는 사람을 어떻게 해서든 짓밟습니다. 생각의 자유가 보장된다고 하면서도 실제로는 정치·경제·사회·문화 모든 영역에서 개인의 생각에 대한 검증이 일상적으로 이뤄집니다. 또한 세뇌된 대중은 그런 흐름에 쉽게 따릅니다. 지금도 이럴 정도이니 절대 권력이 지배하던 신분제 시대에 자기 생각을 한다는 것은 불가능한 일이었으며 설령 그렇게 하더라도 기다리는 것은 죽음뿐이었습니다. 하지만 제아무리 견고한 권력이라고 해도 새로운 시대를 향한 역사의 흐름을 막을 수는 없었습니다.

오랜 세월 지중해와 교회에 갇혀 있던 유럽은 지리상의 발견으로 약탈과 상업의 시대를 맞이합니다. 이렇게 쌓인 부를 기반으로 넓은 세상에 나가는 사람이 늘어나기 시작하면서 '르네상스'라는 새로운 길로 접어들었습니다. 보는 것이 다양해지면서 생각의 폭과 깊이가 커져 계몽주의 사상이 전개되었습니다. 인간 중심의 생각이 현실에 반영되어 합리적 이성을 중요시하게 되었고 이에 바탕을 둔 과학의 발달로 삶의 조건이 비약적으로 발전했습니다.

물질적으로는 산업혁명, 사회적으로는 시민의 등장과 함께 본격적인 자본주의 시대가 시작되었습니다. 근대 철학의 창시자로 불리는 데카르트가 새로 등장한 물리학과 천문학의 깊은 영향을 받았다는 분석도 같은 맥락으로 읽히는 이유입니다.[20]

산업혁명

18세기 말 잉글랜드와 남부 스코틀랜드에서 시작되었다. 그때까지 집이나 농장에서 농사, 수공업의 노동, 또는 생산에 종사하지 않던 사람들이 산업혁명 이후 공장지대로 모여들었다. 생산에 거액의 자본이 투하되었는데 지역과 국가에서 주역은 매매하는 사람이 아닌 산업가였다. (J.K. 갤브레이스. 『갤브레이스가 들려주는 경제학의 역사』. 장상환 옮김. 책벌레. 2016. 73쪽)

일감을 찾아 도시로 간 농노는 겉으로는 자유로운 신분이 되었지만 발붙일 한 뼘의 땅도 없이 몸뚱이만 가진 무산자였다. 공장 노동자로서의 삶은 주인만 바뀐 혹독한 새로운 노예 생활이었다. 증기기관과 기계의 발달에 힘입은 자본주의는 노동자들을 거름 삼아 무서운 속도로 발전한다.

1844년 엥겔스(1820~1895)가 〈영국 노동자계급의 상황(The Condition of the Working Class in England)〉에서 처음 사용하였다. 이후 토인비(1852~1883)가 1884년 〈18세기 영국 산업혁명 강의(Lectures on the Industrial Revolution of the Eighteenth Century in England)〉에서 보다 구체화했다.

---

20 버트런트 러셀, 『서양철학사』, 서상복 옮김, 을유문화사, 2009, 719쪽.

활동 영역이 넓어지자 직접 경험하고 검증하며 사고의 틀을 넓혔습니다. 고대 그리스와 로마에서 번성했던 철학과 인문 중심의 사고를 되살려 새로운 세상에 접목하며 발전했습니다. '르네상스'는 휴머니즘 세상을 열었습니다. 철학과 문학, 예술과 과학의 발전은 누구나 생각할 수 있게 된 인간 중심의 시대정신이 있었기에 가능한 일이었습니다. 하지만 사회 체제의 변화 앞에는 기존 권력의 강력한 저항이 산처럼 막아서고 있었습니다. 이 과정에서 벌어지는 충돌은 역사의 도약 시기라면 반드시 거쳐야 할 통과 의례였으니, 혁명은 새로운 사회 체제로의 변화 발전을 알리는 신호탄이었습니다.

1789년에 시작된 프랑스혁명 당시 전체 인구의 98%에 달하는 사람은 2%에 불과한 왕과 귀족 그리고 교회의 성직자들을 위해 일하고 있었습니다. 땅과 권력을 차지한 소수가 지배하는 시대에 노동하는 사람은 노예였습니다. 혁명으로 인해 왕정이 폐지되고 공화국이 되면서 드디어 사람이 사람으로 취급받기 시작했습니다. 비록 선언이긴 했지만 '프랑스 인권선언'이 발표되었고[21] 이는 세월을 건너 1948년에 국제연합의 '세계 인권선언'으로 이어졌습니다.[22]

---

[21] 인간과 시민의 권리 선언(1789. 8.26) 제1조
인간은 권리에 있어서 자유롭고 평등하게 태어나 생존한다. 사회적 차별은 공동 이익을 근거로 해서만 있을 수 있다.

[22] 세계인권선언(1948. 12. 10) 제1조
모든 인간은 태어날 때부터 자유로우며 그 존엄과 권리에 있어 동등하다. 인간은 천부적으로 이성과 양심을 부여받았으며 서로 형제애의 정신으로 행동하여야 한다.

자본주의

명칭에서 알 수 있듯 자본이 주인인 구조의 세상을 뜻한다. 지리상의 발견 이후 상업의 확대는 화폐의 증가로 이어졌다. 이후 기계의 발명과 개량, 증기기관의 상용화가 이뤄지면서 폭발적인 생산의 변혁을 가져온다. 엄청난 생산속도로 상품이 쏟아져 나온다. 그에 따른 원료 확보와 판매처 개척을 위해 식민지 쟁탈전과 제국주의 전쟁이 정해진 수순처럼 진행되었다. 쉼 없는 생산의 윤활유인 자금 조달은 금융자본이 담당했다. 상업·산업·금융 자본 모두에게 공통으로 필요한 땅을 소유한 토지 자본까지, 넷은 담합과 경쟁을 하며 그들만의 리그를 탄탄하게 굳히며 오늘에 이르고 있다.

신분제 사회에서 영주에게 예속되어 있던 농노와 수공업자들이 자본주의 임금노동자가 되었다. 장원경제의 몰락에 따른 역사의 격변 속에 이들은 자유를 얻는다. 하지만 사라지는 농토에서 입에 풀칠조차 할 수 없게 된 사람들은 새로 형성되는 도시로 일자리를 찾아 떠나야 했다. 그런데 새로운 곳에서는 농업이나 수공업 기술은 쓸모 없는 것이었다. 집도 절도 없이 공장에서 단순노동을 할 수밖에 없는 이들에게 자유란 죽을 자유를 의미했다.

자본주의에서 만들어지는 이윤은 노동자가 생산하는 상품 가치에서 임금을 뺀 나머지다. 그러니 생산 속도가 빨라질수록 노동자 수가 늘어날수록 자본의 이윤은 증가한다. 자본 간의 경쟁으로 마치 운동 경기의 토너먼트처럼 예선전과 8강, 4강을 거친 강자가 결승에서 붙는다. 전투선의 밑바닥에서 죽어라 노 젓는 노예처럼 자본주의에서 노동자는 그렇게 소모된다.

3·1운동으로 대한민국이 출발하다

조선의 왕 세종(1397~1450)은 백성이 자기 뜻을 우리글로 쓸 수 없음을 불쌍히 여겨 한글을 만들었다고 설명했습니다. 하지만 여기서 말하는 백성에 노비나 천민은 낄 수 없었습니다. 만약 그런 이들을 사람으로 생각했다면 글자가 없는 데서 오는 불편함과는 본질이 다른 노비제도를 없앴을 것입니다.

부모 중 한쪽이 노비이면 무조건 노비가 되는 '일천즉천' 제도나 어머니가 노비인 경우 자녀의 신분이 자동으로 노비가 된다는 '종모'법은 마르지 않는 샘처럼 대를 이어 노비를 양산했습니다. 때에 따라 노비에 관한 약간의 제도 변화는 있었지만 신분 질서를 근간으로 하는 골격은 그대로였습니다. 신분제 폐지는 생각하는 것만으로도 반역에 해당하는 중죄였습니다. 노비는 생산을 전담하는 경제의 주축이었기에 신분의 속박에서 풀려날 수 없었습니다.

그런 점에서 1919년에 일어난 3·1운동은 수천 년 우리 역사의 물줄기를 바꾼 기념비적인 사건입니다. 3·1 독립선언은 조선의 독립국임과 조선사람의 '자주민'임을 선포했습니다. 여기서 조선은 역사 속 왕조인 조선이 아니라 이 땅에 대대로 살아온 '사람들'의 나라를 일컫습니다. 왕조에 속박된 백성이 아닌 반만년 역사를 지닌 조선 땅의 진정한 주인으로 거듭나는 자주적인 사람들임을 세계만방에 알린 것입니다.

3·1운동은 민주공화국 대한민국의 출발점이며 주권자의 탄생을 알리는 신호였습니다. 일제의 침략에서 벗어나기 위한 자주독립 투쟁인 동시에 민주주의를 기본 틀로 하는 독립 국가를 세우려는 민주화 운동이었습니다. 그렇기에 영토를 빼앗긴 상태임에도 헌법을 제정하고 정부와 의회를 구성하여 국가로서의 틀을 마련했고 국토 회복과 독립을 향해 싸운 것입니다. 현행 헌법은 전문에서 국가가 아닌 '국민'을 주체로 명시하며 3·1운동의 정신을 잇고 있습니다.

　　대한민국임시정부는 1919년 4월 10일 상하이에서 구성한 임시의정원 개원으로부터 시작합니다. 헌장을 제정하고 제1조에 대한민국을 민주공화국으로 한다고 정한 후 정부가 출범했습니다.[23] '민국'은 국호일 뿐만 아니라 이 나라의 주인이 국민이라는 뜻을 담은 표현입니다. 또한 헌장은 남녀와 귀천, 빈부와 계급 없는 평등한 사회를 목표로 했습니다. 그러한 기초 위에 세워진 대한민국임시정부의 독립운동이 곧 민주주의 운동이 되는 것은 당연한 일이었습니다. 이러한 과정을 거쳐 민주공화국으로서 대한민국의 법적 정통성을 명확하게 세웠습니다.

　　민주는 국민이 주인이라는 뜻이고 공화국은 왕이 없는 정치체제를 말합니다. 우리 역사에서 조선까지는 왕이 사법, 입법, 행정 모

---

23 1919년 '3·1 만세운동' 이후 여러 곳에 세워진 임시정부를 통합하여 상하이에서 출범했다. 일제의 탄압·보복·미행 등을 피해 여러 곳(상하이, 항저우, 자싱, 난징, 창사, 광저우, 치장, 충칭)을 전전하며 남서쪽으로 이동했다.

두를 장악하고 통치하던 인치의 시대였습니다. 이렇게 한 사람이 모든 것을 좌우하는 정치체제는 공화정이 아닙니다. 영국이나 일본은 지금도 공화국이 아니라 군주국가입니다. 다만 과거의 왕정국가와 달리 헌법이 존재하는 입헌군주국입니다. 민주공화국의 구체적인 형태와 내용은 다음과 같습니다.

공화국은 왕이 없어야 합니다. 왕이 없는 형태를 넘어 사람이 아닌 주권자의 의지가 반영된 법에 의한 국가 운영이 되어야 합니다. 둘째, 권력이 분립되어야 합니다. 그 바탕에는 모든 권력이 국민에게 있다는 사상인 주권재민의 철학이 깔려 있습니다. 민주공화국의 모든 제도와 공권력은 존재 이유는 마지막 한 가지로 귀결되기 때문입니다. 모든 국민의 기본권 보장이 그것입니다. 그런데 오늘날 법을 만드는 입법부(즉 국회)와 집행하는 행정부(즉 대통령)가 서로 견제하기는커녕 한통속이 되어버리기 일쑤입니다.

그런 까닭에 삼권보다 더욱 중요한 의미를 지니게 된 것이 '언론'입니다. 어느 권력에도 속하지 않은 언론이 눈을 크게 뜨고 감시할 때라야 실질적인 국민의 기본권 보장이 가능합니다. 그런데 대한민국의 비중 있는 언론사 대부분은 사적 이익을 추구하는 기업들이 소유하고 있습니다. 또한 자본의 이익을 대변하는 정치세력이 권력을 쥘 때마다 공영방송을 장악하려는 시도를 반복합니다. 결국 주권자인 국민이 깨어 있지 않은 상태에서는 제도만 갖춘다고 해서 국민의 기본권이 지켜질 수 없음을 알 수 있습니다.

오늘날 대한민국 정치인들은 국민을 위해서 일하겠다고 말합니다. 대통령으로 취임하는 사람은 국민을 위한 정치를 약속하는 선서를 합니다.[24] 대통령이 취임식에서 하는 선서는 헌법 제69조의 내용을 읽는 것입니다. 그러니 이대로 실천하지 않으면 위헌에 해당하는 것인데, 과연 이 선서대로 업무를 수행한 대통령이 있었을까요.

대한민국 헌법 전문

유구한 역사와 전통에 빛나는 우리 대한국민은 3·1운동으로 건립된 대한민국임시정부의 법통과 불의에 항거한 4·19민주이념을 계승하고, 조국의 민주개혁과 평화적 통일의 사명에 입각하여 정의·인도와 동포애로써 민족의 단결을 공고히 하고, 모든 사회적 폐습과 불의를 타파하며, 자율과 조화를 바탕으로 자유민주적 기본질서를 더욱 확고히 하여 정치·경제·사회·문화의 모든 영역에 있어서 각인의 기회를 균등히 하고, 능력을 최고도로 발휘하게 하며, 자유와 권리에 따르는 책임과 의무를 완수하게 하여, 안으로는 국민생활의 균등한 향상을 기하고 밖으로는 항구적인 세계평화와 인류공영에 이바지함으로써 우리들과 우리들의 자손의 안전과 자유와 행복을 영원히 확보할 것을 다짐하면서 1948년 7월 12일에 제정되고 8차에 걸쳐 개정된 헌법을 이제 국회의 의결을 거쳐 국민투표에 의하여 개정한다.

1987년 10월 29일

---

[24] 헌법 제69조
대통령은 취임에 즈음하여 다음의 선서를 한다. "나는 헌법을 준수하고 국가를 보위하며 조국의 평화적 통일과 국민의 자유와 복리의 증진 및 민족문화의 창달에 노력하여 대통령으로서의 직책을 성실히 수행할 것을 국민 앞에 엄숙히 선서합니다."

귀천은 있다

근대 유럽에서 신분제도는 사라지고 있었지만 새로운 세상에서도 사람이라고 다 같은 사람은 아니었습니다. 공리주의 하면 떠오르는 말이 '최대 다수의 최대 행복'입니다. 그런데 여기서 말하는 다수에 새 시대의 생산자인 노동자는 고려되지 않았습니다.

1865년 영국에는 3,271개의 탄광이 있었습니다. 이곳의 노동 환경은 너무나 열악해서 한 번의 사고에 200~300명이 희생될 정도였습니다. 하지만 전체 탄광을 담당한 공장감독관은 고작 12명뿐이어서 이들이 모든 탄광을 한 번씩 돌아보려면 10년의 세월이 필요했습니다. 감독은 고사하고 스쳐 지나는 데에만 그 정도의 세월이 필요했다는 것입니다.[25]

21세기에 이른 오늘의 대한민국 상황도 저 때와 다르지 않습니다. 오히려 노동하는 사람을 대하는 정부 태도와 사람들의 인식은 19세기 영국에 비해 더 후퇴한 것으로 보입니다. 산업재해가 일상적으로 발생하고 노동자가 계속 죽어 나가도 꿈쩍하지 않습니다. 감시해야 할 고용노동부의 근로감독관은 2021년 기준으로 2,741명입니다. 한 사람이 2,896곳의 사업장을 담당해야 하니 정상적인 감독은 불가능합니다. 노동자 문제가 관심의 사각지대에 있음을 보여주는 단적인 예입니다.

---

[25] 카를 마르크스, 『자본 1-1』, 강신준 옮김, 길, 2010, 669쪽.

직업에 귀천이 없다는 말이 있습니다. 하지만 고귀한 직업과 천한 노동의 차이가 명백하다는 사실을 모르는 사람은 없습니다. 새로 생기는 일자리 대부분은 비정규직이고 실질 임금은 점점 내려갑니다. 근로계약 기간도 짧아져 평생직장은 고사하고 일 년만 일할 수 있어도 다행이라는 생각이 들 정도입니다.

산업재해 발생 현황 (2023년 12월 기준)

사망자 수	사고 사망자:　812명 질병 사망자:　1,204명 계: 2,016명
재해 유형	떨어짐:　286명 (35.2%) 끼임:　88명 (10.8%) 교통사고:　86명 (10.6%) 부딪힘:　69명 (8.5%) 물체에 맞음:　68명 (8.4%) 깔림과 뒤집힘:　64명 (7.8%) 넘어짐:　38명 (4.7%) 무너짐:　35명 (4.3%) 화재, 폭팔, 파열:　29명 (3.6%) 기타:　48명

출처: 고용노동부

2010년 충남 당진의 제철소에서 일하던 젊은이가 용광로에 빠지는 사고를 당했습니다. 끔찍한 소식을 접한 시민이 인터넷에 시를 써 많은 사람의 마음을 울렸습니다.[26] 당시 보도했던 기자가 10년 뒤 찾아가 후속 취재한 내용에 따르면 쇳물을 녹인 뒤 굳혀 상징물 형태로 보관하고 있어 부모님이 명절에 다녀가기도 했다고 합니다.[27]

생존의 기반인 일자리가 불안정하니 삶 자체가 위태롭습니다. 이런 지경에 인권이나 자유, 평등 따위는 사치로 느껴질 만 합니다. 보편적 인권의 시대에 들어왔다고 하지만 실제로는 정반대의 길로 가고 있는 대한민국입니다. 인간의 권리를 선언한 지 2백여 년, 귀천 없는 평등 세상을 선언한 3·1운동으로부터 1백여 년이 지났지만, 아직도 대한민국에서 보편적인 인권은 보이지 않습니다.

26 최재봉, 「'그 쇳물 쓰지 마라' 댓글 시인 제페토 첫 시집」, 『한겨레신문』, 2016. 8. 15.

27 임지선, 「10년 전 20대 청년 추락한 용광로…'그 쇳물은 쓰이지 않았다'」, 『한겨레신문』, 2020. 10. 11.

그 쇳물 쓰지 마라[28]

제페토

광염에 청년이 사그라졌다.
그 쇳물은 쓰지 마라.

자동차를 만들지도 말 것이며
가로등도 만들지도 말 것이며
철근도 만들지 말 것이며
바늘도 만들지 마라.

모두 한이고 눈물인데 어떻게 쓰나.

그 쇳물 쓰지 말고
맘씨 좋은 조각가 불러 살았을 적 얼굴 흙으로 빚고
쇳물 부어 빗물에 식거든 정성으로 다듬어
정문 앞에 세워주게.

가끔 엄마 찾아와
내 새끼 얼굴 한 번 만져보자 하게.

---

28 제페토, 『그 쇳물 쓰지 마라』, 수오서재, 2016, 25쪽.

헌법의 세 가지 존엄

탄생, 아픔, 회복, 죽음이 한 공간에 혼재되어 있는 대학병원. 한 발 떨어져서 보면 생로병사와 희로애락이 한눈에 들어온다. 각각의 삶에 존엄은 있는 걸까.

언제부턴가 '존엄한' 죽음에 관한 논의가 시작되었습니다. 정부는 연명치료를 거부할 수 있음을 알리는 공익광고를 선보이고 법도 만들어 시행하고 있습니다.[29] 이처럼 존엄한 죽음에 대한 관심이 커지는 것은 과거에 비해 평균 수명이 월등하게 길어진 현상과 관련 있을 것입니다. 수명은 길어졌으나 상당 기간 질병을 앓고 살아야 하는 현실에서 누구나 심각한 환자 상태에 이를 수 있습니다. 또한 의료 기술의 발달로 목숨을 유지하게 하는 일을 가능케 했습니다. 여기서 고민이 시작된 것으로 보입니다. 살아 있다는 것은 과연 무엇인가 하는 철학적 질문을 던지고 있는 것입니다.

죽음을 대하는 태도가 그럴진대 사는 동안의 존엄에 대한 깊은 성찰은 당연한 일일 것입니다. 이를 일상에서 실현하려면 법과 제도, 국가의 행정과 예산의 뒷받침이 필수입니다. 하지만 현실에서 존엄을 경험하는 것은 불가능합니다. 죽음의 존엄에 대한 관심과 달리 삶의 존엄은 누구에게나 무관심한 주제입니다. 아니, 인식 자체를 하지 못하며 살아갑니다. 존엄이 이토록 푸대접받는 이유가 무엇일까요. 삶의 존엄이 있어야 할 자리를 돈이 차지하고 있기 때문입니다. 빠른 기간 동안 이룬 경제 발전을 '한강의 기적'이라고 부르지만 다른 나라가 수백 년에 걸쳐 진행한 산업혁명과 자본주의를 몇십 년 만에 이룬 대가는 성공의 크기와 속도에 비례해 커다란 부작용을 남겼습니다.

---

29 「호스피스 · 완화의료 및 임종단계에 있는 환자의 연명의료결정에 관한 법률」, 2016년 2월 제정. 2018년 4월부터 시행.

밝음이 있으면 어둠도 있는 법이어서 단기간의 경제발전은 빈부 격차와 환경오염 같은 사회문제부터 가족의 해체까지 이어지며 심리·정신적인 상처와 온갖 질병을 압축해 선사했습니다. 저들이 경험한 모순의 역사로부터 교훈을 배울 생각은 하지 않은 채 흉내만 낸 결과입니다. 평범한 진리를 무시한 대가는 생각보다 크며 그 피해는 고스란히 국민 모두와 미래 세대 몫입니다. 존엄한 죽음에 앞서 먼저 삶이 존엄해야 한다는 철학자의 일성은 숨 쉴 틈 없이 바쁘게 사는 우리에게 근본적인 질문을 던집니다.[30]

우리 헌법은 모든 국민의 존엄한 삶을 기본 가치로 선언했습니다. 가진 돈의 많고 적음, 학력의 길이, 직업의 종류를 가릴 것 없이 '모든' 국민이 행복을 추구할 권리를 가지고 있다는 것입니다. 특히 국가에게 이를 보장할 책무를 부여했습니다. 하지만 '법치'를 국가 운영의 기본 틀고 내세운 대한민국에서 존엄 규정은 사문화되어 버려진 상태입니다. 특히 세 곳에서 '존엄'을 명시하여 국가의 의무로 규정했습니다. 누구에게나 해당하는 보편적 존엄, 근로에서의 존엄, 그리고 혼인과 가족생활에서의 존엄입니다.[31]

---

[30] 게랄트 휘터, 『존엄하게 산다는 것』, 박여명 옮김, 인플루엔셜, 2019, 5쪽.

[31] **헌법 제10조**
모든 국민은 인간으로서의 존엄과 가치를 가지며, 행복을 추구할 권리를 가진다. 국가는 개인이 가지는 불가침의 기본적 인권을 확인하고 이를 보장할 의무를 진다.
헌법 제32조 제2항
근로조건의 기준은 인간의 존엄성을 보장하도록 법률로 정한다.
헌법 제36조 제1항
혼인과 가족생활은 개인의 존엄과 양성의 평등을 기초로 성립되고 유지되어야 하며, 국가는 이를 보장한다.

여성에게 씌워진 굴레, 모성애

헌법에 의하면 혼인과 가정생활은 개인의 존엄과 양성평등을 기초로 해야 하며 국가는 이러한 권리를 보장해 줘야 합니다. 전 근대적인 남성 중심의 가부장적인 권위주의를 타파해야 한다는 시대의 요구를 받아들인 것입니다. 하지만 헌법 정신을 구체적으로 실현하기엔 갈 길이 멀어 보입니다. 모든 형태의 사회가 그러하듯 가정에서도 경제력은 곧 그 사람의 힘을 표현하기 때문입니다. 존엄하고 평등한 삶을 누리기 위해서는 경제력이 뒷받침되어야 하지만 대한민국에서 여성은 높은 취업 장벽과 임금 차별에 막혀 경제적 힘을 갖기 어렵습니다.

특히 자본주의 사회에서 돈은 생존의 필수조건입니다. 돈을 벌기 위해서는 먼저 제대로 된 일자리를 구해야 합니다. 그런데 대한민국에서 여성이 좋은 직업을 얻는 것이 매우 힘든 일이라는 사실은 다음의 통계 숫자만 봐도 알 수 있습니다.

2022년 현재 여성 취업 인구는 12,161,000명으로 전체 여성의 52.9%입니다. 남성 취업률 71.5%와는 많은 격차를 보입니다.[32] 여성의 임금은 정규직인 경우 시간당 19,594원, 비정규직은 14,588원입니다. 이는 남성 대비 71%, 73%로써 큰 차이가 있습니다.[33]

---

[32] 「성별 고용률 및 성별 격차」, 『2023년 여성경제활동백서』, 여성가족부, 고용노동부, 46쪽.

[33] 앞의 자료, 64쪽.

신자유주의가 지배하는 대한민국에는 열악한 저임금의 일자리만 넘칩니다. 그 대상으로는 남녀노소를 가리지 않습니다. 이런 상황에서는 여성이 취업한다고 해도 최악의 조건에서 일하고 있는 남성 노동자와 하향 평등을 이루는 것에 불과합니다. 부족한 인구를 늘리려는 국가의 정책에 내몰려 출산과 육아를 감당하고, 생활비를 벌기 위해 취업 전선에 뛰어드는 것이 존엄한 삶이라고 할 수는 없을 것입니다.

프랑스혁명 이전에는 사형장에서 죽을 때에도 신분 차별이 있었습니다. 평민은 온갖 잔인한 방법으로 죽였지만, 귀족은 비교적 긴 고통 없이 참수했습니다. 그러던 것이 혁명 이후에는 신분을 막론하고 단두대 방식으로 통일되었습니다. 죽는 순간에서야 평등을 누리게 되었다는 웃지 못할 이야기인데 이것을 평등의 실현이라고 할 수는 없지 않겠습니까.

단두대(기요틴)
1789년에 시작된 프랑스혁명 기간에 등장했다.
역설적이게도 인권과 평등을 기치로 발명되었다.

사회학자 게른스하임은 '모성'이 여성에게 육아를 전담케 하기 위해 발명된 관념이며 자본주의 진행과 연관 있다고 주장합니다.[34] 우리가 아는 모성의 형태는 유례가 없는 것이며 산업화와 부유해진 사회의 산물이라는 것입니다. 이어지는 그의 설명입니다.

인류 역사에서 건강한 성인 여성은 매우 가치 있는 노동력이었기에 아이 돌보는 일만 하도록 놔둘 수 없었습니다. 가족은 경제공동체였고 아이들을 돌보는 일은 여러 사람이 나누어 맡았었지만, 산업화가 진행되면서 '노동과 삶의 통일'이 깨져 가족은 본래의 기능을 상실했다는 것입니다. 특히 부르주아 계급에서는 여성 삶에 관한 새로운 이상이 등장했고 하층 계급도 이를 따르기 위해 애썼습니다. 그 결과 여성의 노동 및 삶의 상황 역시 심대한 변화를 겪게 되었습니다. 즉 여성의 활동이 점차 집으로 국한된 것입니다. 이제 여성의 과제는 눈에 띄지 않고 언제나 준비된 '가족을 위한 존재'가 되는 것이었습니다.

직접적인 활동 영역만 분리되는 것이 아니라 남성과 여성의 본성에 대한 관념까지도 구분되었습니다. 남성적 본질과 여성적 본질이 서로 보완하게 되어 있다는 이념이 지배하게 된 것입니다. 여기서 남성적 본질이란 활동성과 추진력과 힘과 오성이며 여성적 본질이란 온순함과 겸손함과 감정과 감수성을 뜻했습니다. 게른스하임은 이어서 니체(1844~1900)의 말을 인용합니다.

---

[34] 엘리자베트 벡 게른스하임, 『모성애의 발명』, 이재원 옮김, 알마, 2014, 58~59쪽.

"남성의 행복이란 자신이 원하는 것을 의미하며,
여성의 행복이란 남성이 원하는 것을 뜻한다."

여성을 모성애가 넘치는 지고지순한 존재로 그리는 우리 사회의 관념은 어머니와 아내의 희생을 당연한 것으로 여겨왔습니다. 그러한 인습은 오늘날에도 크게 변하지는 않았습니다. 대한민국 정부가 발행하는 화폐 중 최고액인 5만 원권의 인물로 조선시대 현모양처의 상징으로 알려진 신사임당이 선정된 것도 우연한 일은 아닌 듯합니다. 21세기 대한민국이 여성을 바라보는 시각을 상징적으로 잘 보여주는 예입니다.

여성 삶에서 가장 큰 장벽은 출산과 육아일 것입니다. 이는 생산을 기반으로 하는 경제와 국방 등 국가 존립과 직결되는 사안이지만 개인인 여성이 대부분의 책임을 떠안고 있습니다. 이처럼 혼인과 가정생활에서의 존엄과 양성평등이 선언 수준을 벗어나지 못하는 이유는 국가가 제 의무를 다하지 않고 있기 때문일 것입니다.[35] 헌법의 가치가 현실로 이뤄지려면 국가가 나서서 법과 제도를 마련하고 예산으로 뒷받침해야 합니다. 또한 사회적인 인식 전환도 이뤄져야 합니다. 그럼에도 출산과 육아에서 벗어나지 못하는 여성에게 사회 진출이라는 명목으로 열악한 근로조건의 부담까지 이중으로 떠넘기는 대한민국입니다.

---

[35] 임세웅, 「저임금에 갇힌 여자들 3 : 40대] 양육과 돌봄 회전문에 매인 삶」, 『매일노동뉴스』, 2024. 3. 11.

점심 시간도 없는 비정한 대한민국

근로조건은 인간의 존엄성이 지켜질 수 있는 수준으로 정해야 한다는 것이 우리 헌법이 제시하는 기준입니다. 취업해서 일한 후 받는 임금으로 존엄한 삶을 살 수 있어야 하는 것은 물론이고 일터에서 근무와 관련한 모든 조건이 그리해야 한다는 뜻입니다. 그러려면 먼저 존엄한 삶이 무엇인지 기준을 세우는 일이 우선되어야 할 것입니다.

하지만 근로조건의 기준에 관한 법인 근로기준법은 최소 기준만 제시하고 있을 뿐 어디에서도 존엄한 근로조건에 관한 이야기는 찾아볼 수 없습니다.[36] 근로기준법이 대놓고 최소 기준임을 명시한 것만 보더라도 노동과 노동자를 대하는 국가의 태도를 쉽게 알수 있습니다. 근로기준법은 존엄을 기준으로 세운 헌법을 정면으로 어기고 있는 것입니다. 법은 사람이 만들고 사회 현상을 그대로 반영합니다. 근로기준법은 우리 사회의 힘의 편중을 보여주는 단적인 예입니다. 취업할 때 맺는 근로계약의 모든 조건은 채용 결정권을 쥔 사용자가 정한 것입니다. 근로조건은 권력 쥔 자의 뜻에 따라 결정됩니다. 그러니 근로계약에 존엄한 내용이 전무한 것은 물론 체결 과정에 민주주의가 없는 것이 당연합니다.

---

[36] 근로기준법 제3조(근로조건의 기준)
　　이 법에서 정하는 근로기준은 최소기준이므로 근로관계 당사자는 이 기준을 이유로 근로조건을 낮출 수 없다.

대한민국 노동자는 점심시간이 없습니다. 날마다 점심을 먹는데 무슨 소리냐고 할지 모르겠습니다. 하지만 근로계약서에 점심시간은 없습니다. 대신 모든 노동자는 법이 정한 휴게시간에 짬을 내어 밥 먹는 것입니다. 과열된 기계를 위해 멈추는 것이 기계를 위한 일이 아니듯 휴게시간은 근로자가 아닌 사용자를 위한 것입니다. 지친 몸을 재충전해 다시 일하라는 의미를 담은 것입니다. 그런데 점심시간을 따로 주지 않는 잘못된 관행 속에서 노동자는 쉬어야 할 시간을 포기하면서 밥 먹으러 가는 것입니다.

　　근로기준법은 4시간 일한 근로자에게 30분 '이상'의 휴게 시간을 주도록 정하고 있습니다. 이에 의하면 하루 8시간 일하는 노동자는 60분 '이상' 쉬어야 합니다. 이 시간은 근로계약에 포함되지 않으며 임금 계산에서도 제외됩니다. 그렇다면 사용자의 지휘·감독에서도 벗어나 있어야 할 텐데 실제로는 업무 대기를 하거나 통제받는 희한한 성격의 시간입니다. 노동자는 원래 그런 건가 보다 생각하며 사용자 지시에 따릅니다. 이것이 관행으로 굳어 오늘에 이르는 동안 국가는 헌법 정신인 인간의 존엄성이 보장되는 근로조건에 관해서 관심조차 기울인 적이 없습니다. 정부는 이를 통제하지 않았으며 법원은 방조했습니다. 국가 부재 상태입니다.

　　이런 것까지 따져가며 임금을 지급해달라는 것인가, 너무 각박한 것이 아닌가 생각하는 사람이 있을지도 모르겠습니다. 하지만 진정 각박하게 구는 쪽은 누구일까요.

한여름 점심시간이면 노동자들이 땀 흘리며 밥집을 찾아다닙니다. 짧은 시간에 많은 사람이 몰리기 때문에 식당 밖 길까지 줄 서는 일도 흔합니다. 겨우 자리에 앉아 밥을 먹게 되어도 서서 차례를 기다리는 사람들 눈치가 보여 얼른 식사를 마치고 나오기 일쑤입니다. 일터에 돌아와 쉬는 것은 고사하고 땀 씻을 겨를도 없이 자신의 자리에서 일을 시작합니다.

　점심을 먹기 위한 한 시간은 그렇게 번개처럼 지나가 버립니다. 다음 생산을 위해 잠시 쉬어야 할 시간에 왜 노동자들이 쫓기듯 밥 먹으러 다녀야 하는지 의문을 가진 사람도 대답해 줄 이도 없습니다. 대한민국은 일 시키면서 밥 먹을 시간조차 보장해 주지 않는 비정한 사회입니다.

존엄 없는 삶

시곗바늘을 움직이는 톱니의 원리는 생산 기계에도 적용된다. 기계가 돌아가는 속도
에 맞춰 노동자들은 보조 도구가 되어 각자의 역할을 한다. 주인인 기계가 멈추고 시
계가 작업 종료를 알리면 그제서야 노동도 멈춘다.

즐거워야 할 노동이 외로운 작업으로

무성영화 〈모던 타임스(Modern Times), 1936〉에서 찰리 채플린(1889~1977)이 연기한 주인공은 종일 컨베이어 벨트 위를 일정한 속도로 지나가는 부품에 볼트를 조입니다. 일정한 속도에 맞춰 공구를 돌리던 이 사람은 반복되는 작업에 정신이 이상해져 병원으로 실려 갑니다.

인류는 자연에 순응하는 방식으로 노동했습니다. 그러던 것이 자본주의가 시작되면서 시간과 공간의 제약에 갇혀 일하기 시작했습니다. 정해진 시간 동안 많은 노동자가 모여 있는 갑갑하고 열악한 공장에서 하루 17시간 이상 노동했습니다. 자연의 일부인 사람을 건강에 치명적인 인공적인 환경에서 일하도록 해 노동자들의 육체는 물론 정신 건강에 심각한 문제가 생기기 시작했습니다.

유적 존재(類的存在, Gattung)

다비드 슈트라우스(1808~1874)는 인간들이 매우 다양하고 상이한 성격을 지녔기 때문에 함께 있을 때 비로소 완전한 인간이 된다고 했다. 칼 맑스는 「경제학-철학 수고」에서 인간을 유적(類的) 존재로 규정했다. 포이어바흐(1804~1872)는 유적 존재로서의 인간의 본질이 자유로운 의식적 활동이라고 했으며 '공동체'로 대체했다.

이로부터 2백여 년이 지나는 동안 개선이 있기는 했지만, 본질적인 구조는 그대로인 채 오늘에 이르고 있습니다. 21세기에 들어와서도 여전히 노동자의 삶은 고달픕니다. 도시의 겉모습은 활기차 보이고 노동자의 얼굴빛에 윤기가 흐르는 듯하지만, 평생 일하며 허리띠를 졸라매야 하는 고단한 삶은 그대로입니다. 초를 다투는 생산 속도 그리고 성과를 두고 동료와 경쟁을 벌여야 하는 상황에서 대화는 사라졌으며 협동은 꿈조차 꿀 수 없게 되었습니다. 경쟁에서 탈락한 동료들이 하나둘 쫓겨나고 남은 자의 수는 점점 줄어듭니다.

빵 공장에서 일하는 노동자들이 각자 한 시간에 한 개의 빵을 생산한다고 가정하겠습니다. 그 중 한 사람이 열심히 연습하더니 한 시간에 두 개의 빵을 만듭니다. 이 노동자가 '생활의 달인' 같은 방송 프로그램에 출연해 갈고닦은 실력을 발휘합니다. 생산량이 동료들보다 두 배 많으니, 성과급을 받을 수 있게 되었습니다. 그렇지만 이는 얼마 가지 못합니다. 지금은 두 개 만드는 것이 특별해 보이지만 이내 평범한 기준이 되기 때문입니다. 모든 노동자가 한 시간에 두 개를 만들어내야 하는 것입니다. 그렇게 되면 지금처럼 한 개를 생산하는 사람은 저성과자로 분류되어 하나둘 해고당하고 달인만 남게 됩니다. 결국 달인은 다른 사람이 하던 몫까지 떠안게 됩니다.

소외

어느 날 온 가족이 모여 김장합니다. 멀리 떨어져 사는 형제자매나 가깝게 지내는 이웃이 함께합니다. 배추를 절이는 것부터 힘든 노동이지만 모두 유쾌하게 일합니다. 아이들은 김치에 삶은 고기 싸주기만을 고대하며 침을 삼킵니다. 주위에 있는 모든 사람의 표정이 밝고 분위기는 화기애애합니다. 나와 내 가족을 위해 함께하는 노동이기에 힘든 줄 모르고 즐겁게 일합니다. '유적 본질'을 회복하는 시간인 것입니다.

그에 반해 김치 공장 풍경은 사뭇 다릅니다. 컨베이어 벨트 위에 놓인 배추가 줄지어 지나갑니다. 그 속도에 맞춰 노동자가 종일토록 양념을 묻힙니다. 누가 먹을 건지 알 수는 없지만 묵묵히 퇴근 시간까지 반복해 일합니다. 완전 자동식이 아니었던 과거에는 동료들과 잡담도 곧잘 나누었지만, 이제는 너무나 빨라진 기계 속도에 맞추느라 앞만 보면서 작업에 열중하기에 서로 얼굴 볼 여유도 없습니다. 그뿐만 아니라 성과급 제도 도입으로 일한 만큼 수당을 더 받을 수 있으므로 더욱 빠르게 손을 움직입니다.

노동자는 자신이 만든 상품을 가질 수 없습니다. 이제 노동은 자신을 위한 행위가 아니며 생산물은 나와 아무 상관이 없습니다. 열심히 노동하는데도 빈곤에 허덕이며 생존마저 위협받습니다.

퇴근 시간이 되어 옷 갈아입고 공장 문을 나서는데 뭔지 모를 공허함이 밀려옵니다. 귀갓길 정류장에 서서 알 수 없는 소외감에 하릴없이 휴대전화 화면만 들여다봅니다. 군중 속의 고독한 존재로 홀로 떨어져 나온 것입니다. 노동은 모든 사람의 몸과 마음을 풍요롭게 하는 근원이지만 자본주의적 생산양식이 지배하는 사회는 노동자를 한낱 소모품으로 전락시키고 있습니다.

오늘의 노동 과정은 노동자를 소외에 빠뜨렸습니다.[37] 노동자는 자신이 생산한 상품으로부터 이질감을 느낍니다. 동료들과 함께 일하며 누리던 기쁨인 '유적 존재'의 본질도 사라졌습니다.

---

[37] 인간이 자기의 본질을 잃고 비인간적인 상태에 놓임. 헤겔이 발전시킨 철학 용어로 맑스가 '부'를 설명하면서 도입.

결국 모든 사람이 자신 외의 것으로부터 소외당하는 사회 전체의 병으로 번지게 되었습니다.

노동 소외의 네 가지 형태

1. 생산 과정으로부터의 소외
   생산수단을 소유하지 못한 노동자가 생계유지를 위해 자본가에게 고용. 노동이 자발적인 것이 아니라 강제적인 것이 되고 자신의 욕구를 충족하기 위한 노동이 아니라 다른 욕구를 충족시키기 위한 수단으로 전락. 결과적으로 노동자는 노동이라는 행위를 통해 행복보다는 불행을 느끼며 비인간화되어 간다.

2. 노동 생산물로부터의 소외
   노동자는 임금을 받고 자본가에게 고용. 그러므로 자신이 만들어낸 생산물이 오히려 낯선 존재로 서 있게 된다.

3. 유적 본질로부터의 소외
   노동이 어쩔 수 없이 해야 하는 생계수단으로 전락. 노동자는 자신의 노동생산물 을 상실하고 그것과 대립. 노동생산물을 통해 유적 존재로서의 자기를 의식하지 못한다.

4. 인간의 인간으로부터의 소외
   위 세 가지의 소외로부터 인간이 다른 인간과 맞서고 대립하는 소외가 발생. 이로부터 노동자와 자본가가 대립하는 적대적 관계인 계급 관계가 형성된다.

자유와 평등, 민주의 시대임에도 노동 영역은 전혀 다른 세상입니다. 자본주의적 생산의 목적이 공동의 풍요와 평화가 아닌 최대의 이윤이기 때문입니다. 노동자는 도구에 불과합니다. 기술의 발전으로 삶이 나아지는 것이 아니라 오히려 사람이 기계의 보조 도구가 되었습니다. 이처럼 삶의 근본인 노동 과정의 비인간화는 나머지 부분에 그대로 적용됩니다. 그 결과 헌법이 보장하는 근로조건의 존엄, 혼인과 가정생활에서의 존엄, 인간으로서의 존엄은 구호로만 울리는 메아리일 뿐 우리 삶에는 존재하지 않습니다.

사람답게 산다는 것

2016년 히말라야 도보여행에 나섰던 정치인 문재인은 가난해 보이는 농부를 만나자 "척박한 땅을 더 개간하면 지금보다 잘 살 수 있지 않겠냐"고 물었습니다. 그러자 농부는 "그럼 가족과는 언제 노느냐"고 반문했다고 합니다.[38] 자녀를 위해 열심히 일하는 대한민국 부모들이 정작 자녀 얼굴 볼 시간마저 잃은 채 사는 암울한 현실이 아프게 다가옵니다.

극심한 가난과 배고픔을 경험한 우리는 배불리 먹는 것을 최우선의 목표로 삼았던 때가 있습니다. 그 시절과 닮은 환경에 놓여 있는 부탄의 농부가 부지런히 일할 생각은 안 하고 놀 궁리부터 하는 것을 본다면 1970년대에 새마을운동과 조국 근대화의 한가운데서 죽도록 일했던 산업 역군들은 무슨 생각을 하게 될까요.

---

[38] 하어영, 「문재인이 히말라야에서 '팔보채'를 찾은 까닭은」, 『한겨레신문』, 2016. 7. 13.

게으를 권리

저러다간 평생 거지꼴을 면하지 못할 것이라며 혀를 차지나 않을지 모르겠습니다. 땅 한 조각이라도 개간해서 작물을 생산한다면 온 가족이 조금이나마 여유 있는 삶을 살지 모릅니다. 그러나 자본주의에서라면 이야기가 달라집니다. 생산자가 노동의 몫을 온전히 자기 것으로 가질 수 없기 때문입니다. 보릿고개를 넘던 시절이나 지금이나 변함없이 허리띠를 졸라매야 겨우 살 수 있는 이유가 거기에 있습니다.

아직도 과거의 이데올로기를 안고 있는 사람이 많이 있습니다. 하지만 경제 대국으로 향하는 21세기 대한민국 노동자가 그렇게 살아야 할 이유는 없습니다. 우리는 언제까지 거짓에 속아야 하는 건지 부탄 농부의 눈으로 보자면 한심하고 안쓰러운 쪽은 오히려 대한민국 국민이 아닐지 모르겠습니다.

임금 받아 카드 대금 갚고 또다시 빚내며 사는 우리 삶은 빚이 거의 정리될 때쯤이면 황혼녘을 향합니다. 지금과 같은 식이라면 대한민국에서 아무리 좋은 대학과 직장을 다닌다고 해도 사람답게 살 수 있는 확률은 희박합니다. 중요한 것은 사람답게 산다는 것이 무엇인가 하는 기준, 즉 삶의 철학입니다. 눈앞의 안개를 걷어내고 자기 눈으로 정확히 보려는 노력이 필요합니다. 그래야 사람다운 삶의 방향을 찾을 수 있기 때문입니다.

삶의 주인임을 인식하지 못하고 원래 사는 것이 다 그렇다거나 현실에 만족할 줄 알아야 한다는 생각으로 산다면 노예 신세에서 벗어날 수 없습니다. 존엄이나 인권 민주에 관한 기준은 국가가 아니라 주인인 국민이 찾아내 제시해야 합니다. 그러기 위해서는 먼저 자신의 존엄한 삶이 무엇인지 어떻게 해야 더 인간다운 삶을 살 수 있을지 끊임없이 고민해야 합니다.

1848년 6월 프랑스에서는 살기 힘든 노동자들이 손에 무기를 들고 일자리를 요구했고 자녀와 아내까지 일터에 나가게 했습니다. 이러한 세태를 향해 "노동자들은 자기 손으로 단란한 가정을 허물어뜨린 장본인이며 부끄러운 줄 알아야 한다"는 질타가 있었습니다.[39]

오늘 대한민국도 저 당시의 프랑스와 다르지 않습니다. 어린이 집부터 초등학교와 중·고교 또는 대학까지 자녀를 보내려는 목적은 좋은 일자리 획득입니다. 자녀를 다그치는 이유는 높은 임금 받을 수 있는 기업에 집어넣기 위해서입니다. 게다가 여성의 취업이 당연한 시대가 되었습니다. 사회참여나 평등 차원이 아니라 생계비 마련을 위해서입니다. 이 땅의 노동하는 사람들은 게으름의 여유를 누린 적이 없습니다. 그럼에도 정치·경제·언론 권력은 더 졸라맬 것을 종용합니다. 하지만 게으름은 권력자만 누리는 특권이 아니라 모든 사람의 당연한 권리입니다.

---

[39] 폴 라파르그, 『게으를 권리』, 차영준 옮김, 필맥, 2009, 15쪽.

4장. 누구를 위하여 알람은 울리는가

노동과 근로

노동과 근로의 차이는 단순한 표현의 다름이 아니라 그 의미에 있어서 매우 다른 가치를 지니고 있습니다. 일제는 이 땅의 학생들을 잡아가 '학도 근로 보국대'라는 명칭을 붙여 강제 노역을 시켰습니다. 근로란 부지런하게 일한다는 뜻인데 여기서 부지런한 정도는 죽을 때까지 일하는 것이었습니다. 보국은 나라에 보답한다는 뜻으로 당연히 일본을 뜻합니다.

우리 사회는 노동이라는 표현에 대한 거부감이 큽니다. 노동자는 낮은 일당을 받으며 공사 현장에서 고된 일을 하는 사람으로 소위 '노가다'[40]인데 반해 근로자는 높은 연봉에 편하게 일하는 사무직이라는 것입니다. 그런가 하면 정부 부처의 이름에는 '노동'을 법의 명칭에는 '근로'를 사용합니다.

---

[40] 흔히 사용하는 '노가다'는 토목공사에 종사하는 노동자를 가리키는 일본어 '도가타' 에서 온 말이다.

왜 이러는지 이유를 설명하는 곳도 알고 있는 사람도 없습니다. 심지어 궁금해하는 사람조차 없는 듯합니다. 추측만 있을 뿐입니다. [41]

유럽에서도 work와 labor를 동의어로 사용해 왔습니다. 그러면서 어원적으로 무관한 두 단어를 각기 보존했습니다. [42] 또한 영어는 두 가지 측면에 대해 각기 다른 말을 갖는 장점이 있다고 합니다. 사용 가치를 만들어내고 질적으로 규정되는 노동은 work, 가치를 만들어내고 양적으로 측정되는 노동은 labor로 다시 구별된다는 것입니다. [43]

한글	근로	노동
영어	labor	work
그리스어	ponein	ergazesthai
라틴어	laborare	facere
프랑스어	travailler	ouvrer
	고문(tripalium)에서 파생	
독일어	arbeiten	werken
	농노가 장원에서 하는 노동	장인의 작업

[41] 우리 사회에서 근로와 노동을 혼용하는 이유로, 남북분단 상황에서 가급적 '노동'의 용어를 회피하려는 정치적 고려가 작용했기 때문일 것으로 추정하는 견해가 있다.(임종률, 『노동법』, 박영사, 2012. 3쪽)

[42] 한나 아렌트, 『인간의 기원』, 이진우 번역, 한길사, 2017, 156쪽.

[43] 카를 마르크스, 『자본 1-1』, 강신준 옮김, 길, 2010, 103쪽.

나를 위한 노동, 남을 위한 근로

근로자란 '임금을 목적으로 노동을 제공'하는 사람입니다.[44] 어머니가 사랑하는 가족을 위해 밥 짓는 행동은 임금을 목적으로 하는 것이 아니므로 노동입니다. 그런데 식당에 취업해 손님에게 팔기 위한 밥을 짓는다면 이 행위는 임금을 목적으로 하므로 근로가 됩니다.

누군가에게 종속된 상태에서 임금을 받으며 일하는 것이 근로입니다. 종속되어 있다는 것은 자기 의지와 상관없이 일해야 함을 뜻합니다. 자신과 가족을 위해 자발적으로 생산 방식을 결정하고 재료를 선정하는 노동과 달리 임금을 받기 위해 시키는 대로 하는 근로가 가족의 건강을 위해 즐거운 마음으로 하는 노동과 같은 가치를 지닐 수는 없을 것입니다.

일제는 강제 노역에 동원된 사람들이 혹사당해 병들어도 치료해 줄 필요가 없었습니다. 더 잡아 오면 그만이었기 때문입니다. 오늘날 대한민국이 비정규직 노동자를 대하는 태도 역시 일제와 닮았습니다. 턱없이 낮은 임금에 생존이 힘들어도, 열악한 노동환경에 다치고 죽는 일이 이어져도 눈 하나 까닥하지 않습니다. 취업에 목매는 실업자가 넘치니 다시 채용하면 그만이기 때문입니다.

---

44 근로기준법 제2조 제1항 1호
  "근로자"란 직업의 종류와 상관없이 임금을 목적으로 사업 또는 사업장에 근로를 제공하는 자를 말한다.

근로는 정신노동과 육체노동 두 가지 모두를 포함합니다.[45] 하지만 임금은 시간으로만 단순 계산됩니다. 월급이나 주급은 물론 일당으로 일하는 경우에도 임금을 미리 정해놓습니다. 노동의 양과 질이 어느 정도일지 모르는 상태에서 근로계약서에 서명합니다. 채용한 측에서는 정해진 만큼만 임금을 지급하고 생산성 향상이라는 명목으로 노동자를 다그칩니다. 그렇게 해서 이윤은 늘어납니다.

그러다 보니 노동자는 늘 정신적·육체적 피로에 시달리고 시간에 쫓깁니다. 그로 인해 사회적 관계는 소원해지고 심지어 가족의 유대마저 희미해집니다. 과거엔 어느 정도 나이가 들어야 걸리던 성인병이 이제는 남녀노소 가리지 않고 발생합니다.[46] 빨라진 교통수단과 통신 속도에 맞춰 일해야 하고 24시간 잠들지 않는 사회의 움직임에 따라 밤새워 노동하는 사람이 늘고 있습니다. 이들을 위해 자정을 넘긴 시간까지 시내버스가 운행하고 밤새 식당이 문을 엽니다.

전등의 발명은 심야 노동을 가능하게 했고 기계의 발달은 사람들을 그 속도에 맞춰 움직이게 했습니다. 사람이 물질에 지배당하는 세상이 되었습니다.

---

[45] 근로기준법 제2조 제1항 3호
"근로"란 정신노동과 육체노동을 말한다.

[46] 강승현, 「'성인병'의 용어를 '생활습관병'으로 새로 개칭」, 『의학신문』, 2003. 3. 28.

모든 노동은 사회적

우리는 서로의 도움 없이 살 수 없습니다. 사회에서의 노동은 다른 이를 위한 것입니다. 택배기사가 얼굴도 모르는 누군가의 집에 상품을 갖다주는 것처럼 말입니다. 그래서 노동은 기본적으로 '사회적' 성격을 지니고 있습니다.

버스 기사는 다른 사람들의 목적지를 향해 운전합니다. 주유소는 낯모르는 이의 차에 연료를 공급하기 위해 존재합니다. 이들이 먹는 음식 재료를 생산하는 농부와 어부의 경우도 마찬가지입니다. 이처럼 모든 노동이 연결되어 있습니다. 어느 한 분야의 노동도 사소한 것이 없고 그중 하나만 멈추면 세상의 몰락으로 이어질 수 있습니다. 그러니 각각의 노동자는 겉으로 보기에는 자기 자신을 위해 취업하여 근로하는 것으로 보이지만 실은 타인을 위한 노동을 제공함으로써 사회를 유지·발전하게 하는 중요한 역할을 하고 있습니다.

사람은 혼자 살 수 없는 약한 존재인 까닭에 함께 사는 방식을 택했습니다. 힘을 합쳐 자신보다 큰 동물을 사냥하던 인간은 점차 그 방법을 발전시켰습니다. 오랜 세월 생산 방식의 변화를 거치며 노동은 생존을 유지하는 것을 넘어 인류를 정신적·육체적으로 발전하게 했습니다. 농사짓는 방법을 알게 되어 필요한 만큼의 식량을 필요한 시기에 먹을 수 있게 되었고 곡식이 자라는 사이 다른 일을 할 수 있는 여유가 생겼습니다.

더 나은 도구의 발명으로 생산시간을 단축하게 된 인류는 나머지 시간을 활용해 예술과 학문의 발달을 이루었습니다. 노동은 인류가 진화하고 발전해 온 토대였습니다. 끊임없는 발전을 거듭해 온 인류는 21세기인 오늘날에 와서는 비약적인 생산성의 향상을 이루었습니다. 그에 따라 짧은 시간만 노동에 사용하고 대부분의 시간은 여가를 즐길 수 있는 조건이 갖춰져 모두가 안락하고 평화로운 삶을 누릴 수 있는 세상이 된 것입니다.

하지만 자본주의 사회에서는 쉴 새 없이 바쁘게 일해야 겨우 살 수 있습니다. 늘 허덕이게 하는 적은 임금으로는 허리띠를 졸라맬 수밖에 없습니다. 노동은 노동대로 하면서도 생활은 궁핍해져 갑니다. 자본주의 사회에서 돈은 필요한 것들을 구입할 수 있는 필수 매개체입니다. 그러다 보니 돈은 모든 사람의 인생 목적이 되어버렸습니다. 돈이 신으로 추앙받는 황금만능과 물신숭배 사회가 된 것입니다. 그 결과 사람을 사람답게 하는 노동의 본질은 사라졌습니다.

근로의 권리는 없다

우리 헌법은 모든 국민에게 근로의 의무를 부여했습니다.[47] 그러니 적어도 법적으로는 굶을 자유가 허용되지 않습니다. 의무로 정했으니, 인간다운 삶이 보장되는 근로 조건 준수 여부를 국가가 감시해야 합니다. 그래야 국가를 믿고 따르려 하지 않겠습니까. 존엄한 근로 조건이 마련되고 실행되는지 감시하고 개입해야 할 책임을 국가가 다 하지 않는다면 근로는 강제노역이나 다를 게 없습니다. 민주공화국이라면 인간다운 삶이 가능한 근로조건을 국가가 챙겨줘야 합니다. 하지만 근로의 내용과 조건에 민주주의는 없습니다. 오히려 점점 늘어나는 비정규직 일자리에 삶이 열악해지기만 하는 이상한 나라 대한민국입니다.

---

[47] 헌법 제32조 제2항
모든 국민은 근로의 의무를 진다. 국가는 근로의 의무의 내용과 조건을 민주주의 원칙에 따라 법률로 정한다.

헌법은 노동을 권리로도 규정하고 있습니다.[48] 만약 권리가 맞다면 국가는 모든 국민에게 양질의 일자리를 만들어줘야 합니다. 하지만 자본주의에서 기업의 목표는 오로지 이윤 증가뿐입니다. 그에 도움 되지 않는다면 직원을 새로 채용할 일은 없습니다. 그러니 좋은 조건은 고사하고 취업을 통해 기본적인 삶을 유지하는 것조차 쉽지 않습니다. 그럼에도 국가의 입장은 언제나 편파적입니다. 힘든 사람들이 견딜 수 없을 정도에 이르러 생존을 위해 목소리를 조금만 높이려 해도 경찰을 동원하고 법적 처벌을 가합니다. 대한민국 정부는 실업자가 늘어도 근본 대책을 마련하지 않습니다. 기업이 신규 채용을 늘리고 고용 안정을 유지하도록 국가가 조정하고 방향을 잡아줘야 하지만 뒷짐 진 채 눈 감고 있습니다.

근로의 의무와 권리는 대한민국 사람 모두가 풍요롭고 행복한 삶을 누리기 위한 기본 조건입니다. 하지만 생산의 담당자인 노동자들은 고된 일상에 비해 부족한 임금과 쫓기는 시간에 숨을 헐떡이며 살아갑니다. 이런 식이라면 노동자에게 헌법은 아무 의미가 없습니다. 자신이 노동한 대가를 눈뜨고 빼앗길 수밖에 없다면 말이 좋아 권리이지 근로는 또 하나의 의무일 뿐입니다.

---

[48] 헌법 제32조 제1항
모든 국민은 근로의 권리를 가진다. 국가는 사회적 · 경제적 방법으로 근로자의 고용의 증진과 적정임금의 보장에 노력하여야 하며, 법률이 정하는 바에 의하여 최저임금제를 시행해야 한다.

피의 입법

자본주의가 시작되기 직전 영국에서 길거리를 배회하는 것은 죽음을 각오해야 할 일이었습니다. 헨리 7세는 일하지 않고 돌아다니는 사람을 처벌하는 법을 만들었고 헨리 8세는 건장한 사람이 부랑자 생활을 하다 걸리면 채찍질을 가하고 구금시킨 뒤 강제노동을 시켰습니다. 두 번 체포되면 채찍질 후 귀를 잘랐고 세 번째는 중범죄자로서 사형시켰습니다. 그의 딸인 엘리자베스 1세가 다스리던 시기에는 14세 이상의 거지를 고용하려는 사람이 나타나지 않으면 거지에게 채찍질과 함께 귓바퀴에 인두로 낙인을 찍었고 세 번째 적발되면 국가에 대한 반역자로 취급되어 사형에 처했습니다.

노동은 강제 의무였고 노동하지 않는 사람에게는 가혹한 형벌이 내려졌습니다. 그러니 조건이 맘에 들지 않더라도 무조건 일자리를 얻어야 했습니다. 제대로 된 임금이나 노동조건 요구는 불가능했으며 노동은 국가의 부를 늘리는 도구로만 사용되었습니다.

오늘의 대한민국 노동자가 처한 상황은 적어도 겉으로는 역사 속 영국 노동자와 같지는 않습니다. 일하지 않는다고 해서 귀가 잘리거나 사형당하지는 않으니까요. 하지만 일자리를 구하지 못하면 사회적 낙오자로 낙인찍힙니다. 심지어 취업 실패로 죽음에 이르기도 합니다. 그러니 본질과 결과를 보면 과거 영국 노동자나 21세기 대한민국 근로자나 일하지 못해 죽기는 매한가지입니다.

정의란 함께 생산한 부의 공정한 분배를 의미합니다. 하지만 대한민국에서 그런 일은 일어나지 않습니다. 힘 있고 많이 가진 사람이 그렇지 못한 사람 것을 빼앗아 부와 권력을 늘려갑니다. 노동자는 노동의 대가 중 일부만 임금으로 받습니다. 자기 몫을 빼앗겨도 항의도 못 한 채 보고 있어야만 합니다. 부족한 돈이라도 받아야 생명을 부지할 수 있는 노동자에게 임금은 가축을 꼼짝달싹 못 하게 하는 재갈 같은 역할을 합니다.

낚시꾼이 낚싯바늘에 미끼를 꿰어 물속으로 던지는 이유는 물고기의 허기를 달래주기 위함이 아니라 물고기를 유인해 잡으려는 것이다. 꿈틀대는 미끼를 입에 무는 순간 물고기는 뭍으로 끌려 나와 제물이 된다. 설령 물고기가 미끼를 먹어 치운다고 해도 낚시꾼 입장에서는 크게 남는 장사다. 물고기와 마찬가지로 노동자 역시 사용자가 던진 취업이라는 미끼를 일단 물지 않을 수 없다.

나는 누구인가

캐나다에서 가장 존경받는 정치인으로 알려진 토미 더글러스 (1904~1986). 의료보험 등 공적 사회제도를 정착시킨 일로 유명한 인물입니다. 서스캐처원주의 지사이던 그는 1962년에 의회에서 '마우스 랜드'라는 연설로 우레와 같은 기립박수를 받았습니다. 내용은 다음과 같습니다.

쥐들의 나라에서는 4년마다 선거를 치러 대표를 뽑습니다. 대표로 검은 고양이를 선출합니다. 그런데 사는 것이 좋아지긴커녕 점점 나빠지자 다음 선거에서 흰 고양이로 바꿉니다. 그래도 삶이 나아지지 않자 이번엔 검은 고양이와 흰 고양이를 섞은 연합정부를 구성합니다. 때론 점박이 무늬의 고양이를 뽑습니다. 하지만 어떤 고양이가 선출되어도 쥐들의 삶은 항상 힘듭니다. 새로 만들어지는 모든 법은 쥐들만 압박해 두려움에 떨게 했습니다. 쥐구멍을 넓히는 법을 통과시키고 쥐들의 통행 속도를 제한하는 법을 만들어 고양이가 쥐를 쉽게 잡을 수 있도록 한 것입니다.

그러던 어느 날 뭔가 깨달은 쥐가 등장합니다. 이 쥐는 다음과 같이 목소리를 높입니다. "우리들 삶이 힘든 이유는 쥐를 잡아먹으려는 고양이를 대표로 뽑았기 때문이다. 쥐 가운데서 대표를 뽑아 우리의 정부를 만들어야 삶이 바뀔 수 있다"고 강변했습니다. 그러자 동료 쥐들이 "빨갱이가 나타났다"며 고함칩니다. 결국 앞에 나섰던 쥐는 감옥에 갇힙니다.

토미 더글러스는 이렇게 덧붙였습니다. "쥐들이 자신을 잡아먹는 고양이를 대표로 뽑는 것이 이상하게 생각된다면 지난 90년 동안의 캐나다 역사를 돌아보라. 쥐들이 우리보다 더 멍청하다는 생각은 들지 않을 것이다."

오늘날 대한민국에는 문맹인 사람이 거의 없습니다. 심지어 대학을 졸업한 사람이 흔한 세상입니다. 초고속 인터넷의 발달로 과거에는 꿈도 꿀 수 없던 고급 정보를 손안에서 쉽게 얻을 수 있게 되었습니다. 그럼에도 삶이 힘든 이유를 찾아보려는 사람은 만나기 힘듭니다. 왜 법이 강자의 편에 서 있는지 알려고 하지도 않습니다. 대한민국의 주권이 국민에게 있다는 헌법 구절을 모르는 사람은 없지만 그 의미가 무엇인지 알려는 사람은 없습니다. 어떻게 해야 진정한 민주공화국의 주인 노릇을 할 수 있을지에 대한 고민은 없습니다. 민주주의를 삶과 직결되는 것으로 생각하지 않기 때문입니다. 그렇게 살도록 세뇌당했습니다.

대한민국 경제는 자본주의를 기반으로 합니다. 그래서 대한민국에는 민주주의가 들어설 틈이 없습니다. 자본주의는 이윤을 얻기 위한 효율과 경쟁만을 최고의 가치로 삼기 때문입니다. 공존과 평화에는 관심 없습니다. 선진국으로 평가받는 국가는 그러한 모순을 일정 부분 수정한 사회입니다. 하지만 대한민국은 오히려 모순이 커지는 중입니다. 경제적 비민주는 소수의 정치 독재와 연결됩니다. 그러니 우리 삶은 힘겨움에서 벗어날 길 없으며 다람쥐 쳇바퀴 속 같은 일상에서 빠져나올 수 없는 것입니다.

여기서 벗어나는 방법은 한 가지뿐입니다. 자기 눈으로 세상을 바라보고 변화를 위해 노력하는 것입니다. 민주공화국의 주인으로서 삶을 성찰하고 실천하며 다른 사람들과 공존하려고 노력해야 합니다. 사람 중심으로 세상이 변하면 개인의 삶은 당연히 풍요로워지게 되고 서로의 관계도 회복될 것입니다. 법과 제도, 국가, 그리고 민주주의가 모든 이의 삶에 유익한 도구로써 제 기능을 하게 될 것입니다. 이러한 세상이 된다면 최소한 마우스 랜드의 쥐들보다는 나은 삶을 살게 되지 않겠습니까.

청소년 노동

　1883년 영국 전체 노동자 중 어린이와 청소년이 40% 내외를 차지했습니다.[49] 좁고 높은 굴뚝 속 그을림을 제거하는 청소에 4세의 어린이를 밀어 넣었고 탄광이나 다양한 종류의 공장까지 전반적인 산업에 어린 노동자들의 노동이 투입되었습니다.

　성냥 제조업의 아동 노동자들은 뜨거운 인 혼합액의 독한 증기를 얼굴에 쏘여 파상풍에 걸렸습니다. 이 일에 종사한 13세에서 18세 미만의 아이들은 굶주림에 몰린 어머니에 의해 공장에 보내지기도 했습니다. 그 결과 평균 수명이 17세였다니 믿을 수 없을 정도입니다.[50] 단테가 상상한 지옥의 광경조차 여기에 미칠 수 없었을 것이라는 맑스의 말은 과장이 아니었습니다. 누가 영국을 신사의 나라라고 불렀는지 의문이 들 따름입니다.

49 양동휴, 『양동휴의 경제사 산책』, 일조각, 2009, 68쪽.
50 카를 마르크스, 『자본 1-1』, 강신준 옮김, 길, 2010, 351쪽.

자본주의와 아동 노동

청소년과 아동을 노동자로 고용하는 행태는 자본주의 역사와 함께해왔습니다. 1970년대에 무작정 상경한 청소년들의 공장 노동이나 오늘날 대한민국에서 횡행하는 아르바이트와 현장 실습이 어제오늘의 일이 아니라는 뜻입니다. 자본주의는 태생적으로 그러한 연령대의 노동자가 필수이기 때문입니다.

1883~1884년 영국의 아동 노동 상태

산업		최소연령	연소자분포	하루 노동시간	총 노동자 중 16세 미만 아동의 비율(%)
면직		8세	8~18	13	35
레이스		4세	4~14	12~13	40
모직		6세	6~18	12~13	40
견직		6세	6~18	12~14	46
아마		6세	7~14	12~13	40
탄광		4세	4~12	8~18	22
굴뚝청소		4세	4~8	12	
금속광산	지하	7세	7~12	8	
	노변	5세	5~12	10~12	

청소년을 짓밟고 진행된 조국 근대화

이에 뒤질세라 아동과 청소년의 목숨을 담보로 경제 발전을 이룬 나라가 바로 대한민국입니다. 전형적인 1차 산업 국가였던 대한민국의 농촌은 1970년대까지 가난 그 자체였습니다. 인구 대부분이 농촌에 살았고 농사 외에는 할 것이 없었던 당시 농민들은 많은 수의 가족을 먹여 살리는 것이 불가능했습니다. 그런데 산업화와 자본주의 바람이 불어와 서울과 몇몇 도시에 대규모 공업단지가 조성되면서 노동자가 필요하게 되었습니다. 노동집약적 산업이었고 미국과 일본 기업들의 주문을 받아 조립 제작하는 단순 작업이 대부분이었습니다.

국가가 주도하는 사회 변화 속에서 굶주림을 벗어나려는 가정의 누군가는 돈 벌러 공장으로 가야 했습니다. 장남은 공부시켜야 했고 장녀는 집안 살림을 도와야 하니 많은 형제 중 어린아이들이 무작정 서울행 기차에 몸을 실었습니다. 공장에서 번 돈을 고향 집에 보내 가족들 생계에 도움을 주어야 하는 의무를 지고 선발되어 올라온 아이들은 밤낮 없이 노동에 매달렸습니다. 닭장 같은 숙소에서 쪽잠을 자는 열악한 환경에 먹을 것은 절대 부족했습니다. 영양을 충분히 공급받아도 부족할 성장기의 어린 노동자의 몸은 그렇게 망가졌습니다.

아파도 치료는 엄두조차 못 냈고 아픈 사실이 알려지면 해고당할지 두려워 병을 감춘 채 일했습니다. 발 디딜 틈 없이 꽉 찬 승객에 떠밀려 달리는 버스 문밖에 매달려 가는 버스 안내양도 청소년이었습니다. 부모 품에서 응석 부려도 시원찮을 나이의 아이들이 눈물 훔쳐 가며 모진 식모 생활을 감내했습니다. 박정희가 자신의 업적인 양 선전하던 '조국 근대화'는 이처럼 어린 노동자들의 희생을 거름 삼아 진행되었습니다. 그런 까닭에 대한민국 발전사에서 청소년 노동은 숭고하고 무거운 의미를 지니고 있습니다. 결과를 누리고 있는 우리는 모두 과거의 어린 노동자들에게 빚을 지고 있는 셈입니다.

그런데 지금도 청소년들이 노동합니다. 2023년 1월 현재 우리나라의 취업 인구 중 15~19세 청소년이 18만 7천 명입니다.[51] 이유는 다양하지만 한마디로 압축하면 돈이 궁해서입니다.

청소년 노동 형태는 크게 두 가지로 나누어 볼 수 있습니다. 개인이 일자리를 구해서 노동하는 아르바이트와 학교를 통해 기업에 가서 일하는 현장실습이 있습니다.

청소년 노동자들이 오토바이를 타고 곡예 하듯 배달합니다. 번화가의 식당 뒤편에서 불판을 닦는 일도 청소년 몫입니다. 한창 웃고 놀아야 할 나이에 졸음을 참아가며 편의점에 서서 일하기도 합니다. 카페에서 뜨거운 음료를 따르다 화상을 입거나 손님에게 억

---

[51] 「2023년 12월 및 연간 고용동향」, 통계청, 55쪽.

지 미소를 지어야 합니다. 꽁꽁 언 아이스크림을 뜨는 손이 부들부들 떨리지만, 돈 받을 생각으로 버팁니다. 아르바이트 형태의 비정규직 노동이 과연 청소년의 행복을 가꾸는 일인지 국가와 사회에 묻지 않을 수 없습니다. 노동의 가치를 경험하는 것이 필요하다거나 '젊어 고생은 사서도 한다'는 말이 하루 일당을 위해 일하는 청소년들에게 얼마나 공허하게 들릴지 짐작하는 것은 그리 어렵지 않습니다. 청소년을 고용하는 이유가 사용자들 간의 무한 경쟁에 의한 인건비 절감에 있을 뿐 청소년의 삶을 풍요롭게 하는 요인은 어디에도 없기 때문입니다. 문제는 이러한 노동 환경을 경험하며 자란 청소년들이 사회에 대한 긍정적 인식보다는 부정적인 시각을 키우게 될 것이라는 데에 있습니다.

현장실습은 고등학교를 아직 졸업하지 않은 학생들을 기업에 보내 값싼 비정규 노동자로 일하게 하는 기능만 있을 뿐입니다. 어떠한 명칭으로 포장해도 공장이나 기업에 가서 일하는 것은 모두 교육이 아닌 노동입니다. 그러니 이유 불문하고 현장실습은 당장 폐지되어야 합니다. 기업은 학교에서 기본만 배우고 졸업한 학생들을 직접 채용하여 제대로 된 임금을 지급하면서 자신들의 업무에 필요한 전문 기술을 본격적으로 가르쳐야 합니다. 국가가 제공하는 청소년과 청년들을 헐값에 갖다 쓰는 행태를 이제는 그만둬야 합니다. 취업을 목적으로 만든 학교라 해도 본질은 배움터입니다. 학교는 사람답게 사는 방법과 철학을 배우는 곳이어야 합니다. 청소년들이 민주 시민으로 성장할 수 있도록 도와야 합니다.

즐겁게 웃으며 뛰놀아야 할 청소년

노동 현장에서 겪는 부당함에 맞설 힘이 없는 청소년은 근로기준법이 정한 최소의 보호조차 받지 못합니다. 그럼에도 국가의 적극적인 노력은 보이지 않습니다. 학교를 포함한 대한민국 어디에서도 노동의 가치와 노동자의 권리에 대한 교육은 이뤄지지 않습니다. 설령 법을 알게 된다고 해도 고용노동부에 진정하거나 소송을 제기하기 위해 청소년이 직접 찾아다니는 일은 현실적으로 불가능합니다.

이처럼 열악한 환경에서 자라는 청소년은 사회에 대해 무관심하거나 부정적인 생각을 지니게 될 가능성이 큽니다. 학교와 국가에 대해 기대감 없이 자란 청소년이 성인이 될 미래의 대한민국은 불신이 더욱 판치는 세상이 될 것입니다.

청소년은 인격체로서 존중받을 권리가 있습니다. 국가는 청소년의 인간다운 삶을 보장해야 하며 그들 스스로 행복을 가꾸며 살아갈 수 있도록 여건과 환경을 조성해야 합니다. 청소년은 생존에 필요한 기본적인 영양분은 물론 주거와 의료 그리고 교육을 받으며 정신적·신체적으로 균형 있게 성장할 권리도 지니고 있습니다.[52]

과거에 대부분의 사람은 사회 구조적인 문제를 보지 못한 채 자신과 부모의 무능함을 탓하며 체념한 채 일했습니다. 그때는 그랬

---

[52] 「청소년 헌장」, 문화관광부, 1998년 10월 22일 개정, 25일 선포.

을지라도 풍요의 시대에 접어든 지금은 청소년이 보다 나은 삶을 살 수 있도록 돕는 것이 성숙한 시민의 자세입니다. 그러려면 기성 세대부터 삶을 대하는 철학을 바로잡아야 합니다. 교육이란 말로 가르치는 것이 아니라 실천으로 보여주는 것이기 때문입니다.

우리나라는 1인당 국민총소득(GNI)이 4천만 원을 넘습니다.[53] 모든 국민이 잘 살아야 합당한 국가인 것입니다. 청소년이 돈 걱정 없이 밝고 건강하게 자랄 수 있도록 도울 책임은 사회와 국가 모두에게 있습니다. 그들의 꿈이 돈 때문에 포기된다면 국가와 사회의 존립 의미는 사라질 것입니다.

---

[53] 「2021년 국민 계정(확정) 및 2023년 국민 계정(잠정)」, 『공보』, 2023-06-07호, 한국은행.

이상한 가격 결정

식당에서 다 먹은 후 밥값을 내지 않는 것을 무전취식이라고 합니다. 이는 처벌 받을 수 있는 일입니다. 마찬가지로 일 시키고 노동한 값을 주지 않는다면 무상 사용입니다. 일부만 지급해도 마찬가지입니다. 더군다나 임금 지급은 후불입니다. 그런데 법치가 보장된 사회임에도 규칙 어긴 자들이 처벌받지 않습니다. 자유와 민주가 넘치는 세상이라면서 노동자는 군말 없이 일합니다. 일 시키는 사람은 노동의 대가를 주지 않으면서도 미안하거나 감사한 마음이 전혀 없습니다. 오히려 일자리를 제공한 것에 감사하라고 합니다. 이것이 오늘날 대한민국에서 일상적으로 벌어지는 근로계약의 모습입니다. 생각해 보면 참으로 이상한 일입니다. 돈 내지 않거나 덜 내고 밥 시켜 먹으면 죄가 되는 사회에서 돈 주지 않거나 덜 주고 일 시키는 것은 당당하니 말입니다.

밥값은 식당 주인이 결정합니다. 마찬가지로 모든 상품은 파는 사람이 정한 가격대로 주어야 합니다. 그게 마음에 들지 않으면 사지 않으면 그만입니다. 그런데 이상하게도 노동력을 파는 노동자는 자신을 구매하는 사람이 정한 가격에 서명하고 군말 없이 일합니다. 원래 그랬던 것처럼 세상이 돌아갑니다.

상인이 저울 눈금을 속이는 행위는 범죄다. 그런데 자본주의 사회에서 노동력을 사는 사람이 제멋대로 눈금을 옮기는 것은 범죄가 아니다. 노동자는 눈뜬 채 속절없이 동의한다. 상품은 그 가치대로 가격이 매겨져야 하지만, 유독 노동력만은 예외다. 판매자가 가격을 결정할 수 없는 이상한 상품이기 때문이다.

헌법은 적정한 임금의 보장을 위해 노력할 의무를 국가에 부여했습니다. 그것이 실현되려면 고용과 노동, 사회 전반의 정책 방향을 정해야 합니다. 하지만 우리 헌법과 법률은 적정한 임금이 무엇인지는 따로 정해두지 않았습니다. 사용자와 노동자 둘이 알아서 정하라는 것입니다. 여기서 공정한 거래가 이루어질 리는 없습니다. 사자와 양을 한 우리에 넣어두고 잘 지내라는 것과 같기 때문입니다.

상품을 생산하기 위한 세 가지 요소는 토지, 자본, 노동입니다. 기업은 상품을 생산하기 위해 땅과 공장, 기계와 원료를 구입합니다. 이것들은 파는 사람이 정한 가격에 들여옵니다. 하지만 노동자의 임금만은 예외입니다. 생존을 위해 자기 육체와 정신 능력을 팔아야 하는 노동자는 약자이기 때문입니다. 자본주의 사회에서 이윤을 얻는 방법은 공정하지 않습니다. 상대의 약한 틈이 보이면 봐주기란 없습니다.

상품 판매자는 지나치게 물건값을 깎으려는 사람에겐 팔지 않습니다. 판매를 거부한다고 해서 경찰이 상인을 잡아가지는 않습니다. 하지만 터무니없는 임금에 노동력 제공을 거부하는 순간 계약 관계가 종료되어 직장에서 쫓겨납니다.

동물 같은 감각으로 단결하는 권력

근로기준법은 노동자와 사용자 사이에 작성하는 근로계약서에 기본적인 근로조건들을 명시하도록 하고 이를 어길 시 5백만 원 이하의 벌금형에 처하도록 했습니다. 그런데 이 중에서 노동자가 결정할 수 있는 사항은 단 한 가지도 없습니다. 양 당사자가 동등한 지위에서 자유로운 의사에 따라 근로조건을 결정해야 한다는 근로기준법 제4조는 무의미합니다. 모든 거래에는 흥정이 따르지만 노동자는 자기 노동력 가격 결정을 꿈조차 꿀 수 없습니다.

이런 일이 가능한 이유는 자본가가 주도권을 쥐고 있는 사회이기 때문입니다. 기업은 자기들끼리는 혈투를 벌이는 사이지만 노동자 앞에 서면 공동의 이익을 위해 단결합니다. 전경련과 경총으로 대변되는 기업 단체는 때로는 하나의 통일된 몸체와 같이 움직입니다. 2007년에 발효된 〈비정규직 보호법〉[54]은 비정규직으로 만 2년 이상 일한 사람을 정규직으로 전환하도록 하는 내용을 담고 있습니다. 그러자 이 단체들은 법의 취지를 비웃기라도 하듯 만 2년이 되기 전에 계약을 해지 즉 해고하도록 꼼수를 안내하는 지침을 내보냈습니다.[55]

---

[54] 『기간제 및 단시간 근로자 보호 등에 관한 법률』과 『파견 근로자 보호 등에 관한 법률』을 통상적으로 '비정규직 보호법'이라고 부른다.

[55] 「경총 '정규직 전환 이렇게 피해 가라' 책자 뿌려」, 『한겨레신문』, 2007. 03. 06.

이처럼 단결과 투쟁은 노동자가 아닌 자본가의 전유물입니다. 결국 노동시장은 마치 수요자가 한 사람인 것처럼 수요 독점 상태입니다. 수요자는 한사람이고 공급자인 노동자는 수백만 명이 넘으니 노동력의 가격인 임금은 당연히 내려갑니다. 취업에 실패한 사람은 실업자가 되고 이들의 몸값은 다시 더 떨어집니다.

교과서는 자본주의 경제가 수요와 공급의 법칙에 의해 움직인다고 가르칩니다. 개인이나 기업에 자유만 주면 여러 법칙에 의해 잘 돌아간다는 것입니다. 하지만 전제조건이 있습니다. 노동자도 하나가 되어 공급 독점이 되어야 합니다. 그래야 수요와 공급 사이에 힘의 균형이 이뤄져 공정한 거래가 가능해지기 때문입니다. 즉 강력하게 힘을 발휘하는 전경련·경총에 상응하는 전국 단위의 노동조합이 있어야 자본주의 시장 경제체제가 원활하게 돌아갈 수 있습니다. 그래야 노동자 삶이 나아집니다.

그런데 자본가 단체가 자신들의 이익을 위해 담합하는 것은 허용되지만 노동자가 단체를 만들어 최소한의 인간다운 삶을 모색하는 순간 노동조합에 빨간색을 입혀 뭇매를 가합니다. 헌법이 보장하고 있는 노동자의 단체행동엔 무조건 '불법 파업'의 딱지를 붙여 경찰이 폭압적으로 개입하고 언론사는 진실에 반하는 거짓 선전에 나섭니다. 그 결과 주동자는 감옥에 나머지는 순한 양이 되어 고개 숙인 채 본래의 자리로 돌아갑니다. 이들 앞에 전달된 손해배상 청구서가 끝내기 결정타를 날립니다.

최저임금은 경고장

헌법의 적정 임금 보장 조항에 의해 〈최저임금법〉이 만들어졌습니다. 하지만 헌법이 정한 기준과 달리 최저선일 뿐입니다.[56] 임금은 일한 만큼 지급해야 하지만 정치·경제·언론 권력은 최저임금 몇십 원 올리는 것조차 격렬하게 반대하여 좌절시킵니다. 최저임금에 못 미치는 금액으로 임금을 지급하면 안 된다는 것이 이 제도의 취지이지만 최저임금에 맞춰 지급하는 것이 관행처럼 굳어졌습니다. 자본주의 시장경제의 핵심은 공정한 거래에 있습니다. 하지만 대한민국의 자본주의는 그런 것을 헌신짝 취급합니다. 그러니 자본주의 사회가 아닙니다.

최저임금은 축구 시합의 경고장 같은 의미를 지니고 있습니다. 축구 경기에서 반칙은 금지 사항입니다. 처음 한 번은 경고만 하지만 두 번째 반칙하면 레드카드로 퇴장시켜 운동장에서 쫓아냅니다. 마찬가지로 정당한 노동의 대가를 지급하지 않고 갑의 위치를 이용해 노동자를 짓밟는 꼼수를 쓴다면 퇴장당하는 것이 당연합니다. 공정하고 깨끗한 플레이가 전제되어야 하는 운동 경기와 마찬가지로 자본주의 경제의 생명은 공정한 거래이기 때문입니다.

---

56 김상봉, 「최저임금 때문에 기업하기 힘들다고?」, 『오마이뉴스』, 2011. 7. 11.

정당한 임금을 지급하지 않고 최저임금에 맞춰서 주는 것은 반칙입니다. 반칙은 부끄럽게 생각해야 할 일이지 퇴장당하지 않았다고 자랑할 일은 아닙니다.

위험한 반칙을 한 번 더 하면 퇴장시키겠다는 경고의 의미를 지닌 옐로카드. 최저임금은 그 이하로 임금을 지급하면 처벌하기 위한 하한선일 뿐 정당한 노동의 대가는 아니다. 그런데도 우리 사회는 마치 최저임금이 정상 임금의 기준인 것처럼 되어 버렸다. 기업들의 왜곡 선전과 여기에 동조해 힘을 실어준 정부 그리고 법원 모두에게 잘못의 책임이 있다.

소규모 자영업자들도 최저임금이 인상될 때마다 영업 유지가 힘들다고 하소연합니다. 하지만 그들은 아르바이트 노동자에게 지급해야 할 임금을 제대로 주지 않는 덕에 버팁니다. 자신을 힘들게 하는 원인 제공자인 재벌기업과 정부, 언론사의 거짓 선전에 속아서 자신보다 더 약자이며 함부로 대할 수 있는 노동자에게 화살을 돌리는 것입니다.

가게 문을 열어 장사하는 사람은 공정한 노력과 땀의 대가로 잘 살려고 해야 합니다. 이제부터라도 자본주의의 공정한 거래 원칙에 따라야 합니다. '장사는 인건비 따먹기'라는 말은 부끄러움조차 모르는 사람들로 넘치는 대한민국의 현주소를 그대로 표현하는 것입니다.

심판의 입장에 있는 정부는 반칙한 선수에게 그 위험성과 잘못을 알려야 합니다. 같은 행위가 계속되면 퇴장시키겠다는 점을 명확히 경고한 후 쫓아내야 할 책무가 있습니다. 정부는 중립에 서 있어도 안 됩니다. 헌법이 국가에 부여한 의무는 공정한 사회를 위해 약자 편이 되어 균형을 맞춰주라는 것입니다.

애꿎은 비정규직 노동자와 아르바이트하는 젊은이에게 손실을 떠넘기는 짓은 선각자들이 꿈꾸던 민주공화국 대한민국의 모습이 아닙니다. 이제부터라도 동포를 착취해 배를 채우는 못된 관행이 사라지는 나라가 되어야 합니다.

5장. 삶에 깊은 영향을 끼치는 정치·경제

돈이 사람을 지배하다

'개처럼 벌어서 정승같이 쓰라'는 말이 있습니다. 여기서 개 같이 번다는 건 어떤 방법으로든 돈만 벌면 된다는 의미일까요. 다른 사람 가슴을 아프게 하든 법을 어기든 상관없이 돈 버는 것을 뜻하는 걸까요. 오늘의 대한민국 사람들이 사는 방식을 보면 그렇게 해석하는 게 아닐까 하는 생각이 듭니다.

우리 사회에는 권력과 결탁해 부당하게 남의 재산을 빼앗거나 사기와 투기로 일단 소유권을 획득하면 그만이라는 생각이 만연합니다. 이러한 세상을 보면 정말 개 같이 사는 사람이 많아 보입니다. 하지만 이 말의 의미는 직업에 대한 사회적 편견 등 어떠한 어려움이라도 극복하고 최선을 다해 일하라는 뜻을 담고 있는 것이지 남을 등치거나 피해 주면서까지 돈만 벌면 된다는 파렴치를 정당화하는 이야기는 아닐 것입니다.

정승같이 쓰라는 말은 또 무슨 뜻일까요. 번 돈을 사람답게 사용하라는 의미일 것입니다. 어떤 이가 많은 고생과 노력을 했다고 해도 자신의 힘만으로는 성공할 수 없습니다. 예를 들어 대학은 누군지도 모르는 국민이 낸 세금인 국가 예산에서 지원받습니다. 이 돈이 대학에 지원되지 않는다면 학생들의 학업과 졸업은 쉽지 않은 일입니다.[57]

그런데 세금을 내는 국민 중에는 대학 문턱에 가 보지도 못한 사람이 더 많습니다. 공부 많이 해서 출세한 사람일수록 그렇지 못한 다수의 국민에게 빚을 지고 있는 셈입니다. 사회적 위치가 높아지거나 수중에 돈이 넘칠수록 세상을 돌아보고 다른 사람에게 도움을 줘야 하는 이유입니다. 이는 베푸는 것이 아니라 돌려주는 것입니다. 사회 속 사람이라면 당연히 지녀야 할 공정한 태도입니다. 이것이 돈을 정승처럼 쓰는 예입니다.

하지만 대한민국 사람들은 공정함을 경험하지 못하며 살아갑니다. 먹고 사는 기본 방식이 자본주의이기 때문입니다. 주춧돌을 어떻게 놓는가에 따라 지어지는 집의 형태가 결정되듯 자본주의 국가에서 살아가는 모든 사람의 삶은 그에 종속됩니다. 국가를 운영하는 정치와 국가 존립의 근거인 경제 그리고 문화를 비롯한 삶의 질도 기본 틀인 자본주의에서 벗어날 수 없습니다. 문제는 자본주의가 공정함이나 인간다움과는 거리가 먼 체제라는 점입니다.

---

57 이지희, 「'SKY' 교육예산 쏠림 심각...5년간 6조5600억원 지원」, 『한국대학신문』, 2020. 10. 19.

민주주의와 상극인 자본주의

'자본의 일반공식'이 있습니다. 여기서 M은 돈이고 C는 상품입니다. 예를 들어 100원을 가진 A가 100원짜리 상품을 구입합니다. 그런 후 B에게 120원 받고 팝니다(M'). A는 20원의 이익을 얻었습니다. 이 과정에서 사회적으로 늘어난 가치는 없습니다. 단순히 교환만 이뤄진 것입니다.

M - C - M' (자본의 일반공식)[58]

그런데 생산에서는 새로운 가치가 만들어집니다. 노동자의 노동이 가해지기 때문입니다. A가 100원의 임금을 주기로 하고 노동자를 채용합니다. 노동자는 자신이 받기로 한 임금보다 많은 120원에 해당하는 노동을 합니다. A는 20원의 이익을 얻었습니다. 이번에는 사회에 새로운 20원의 가치가 만들어졌습니다.[59] 노동자가 임금보다 많이 노동한 이유는 이것이 자본주의 운영 원리이기 때문입니다.

---

58 카를 마르크스, 『자본론 1[상]』, 김수행 옮김, 비봉출판사, 2015, 191쪽.
59 국내총생산(Gross Domestic Product)
  한 나라의 영역 내에서 가계, 기업, 정부 등 모든 경제 주체가 일정 기간 동안 새롭게 만든 가치 (부가가치의 합).

자본주의 사회에서 자본가는 노동자가 제대로 받지 못한 몫을 챙겨 부를 쌓아갑니다. 노동자가 생산에 들인 시간을 빼앗는 것이니 결국 삶의 일부분을 가져가는 셈입니다.

그러니 열심히 일해도 노동자의 삶은 헛바퀴 돌듯 나아지지 않고 평생 굴레 속에서 빠져나오지 못합니다. 이같이 생산을 둘러싼 원리는 사회의 모든 문제에 파고들어 심리적인 공황과 소외 등 사회 구성원의 삶 전체에 깊은 영향을 줍니다.

자본주의는 돈이 중심인 사회입니다. 경쟁과 분업을 기본으로 하는 구조이니 사람 사이의 유대는 끊어지고 관계가 단절될 수밖에 없습니다.

그런데 우리 헌법에 대한민국이 자본주의 국가라는 근거는 없습니다. 자유와 창의 존중을 기본으로 한다는 경제 조항이 있긴 하지만 강자가 약자를 짓밟아도 된다는 뜻은 아닌 것으로 보입니다.[60] 경제력을 남용해선 안 된다고 규정한 것을 봐도 확실히 그렇습니다. 그렇다면 대한민국은 원래 자본주의 국가가 아닌 걸까요. 아니면 흉내만 낸 가짜 자본주의일까요. 아무리 봐도 자본주의에는 민주주의가 들어설 틈이 없습니다. 오히려 서로 상극으로 보이기까지 합니다.

---

60 헌법 제119조
　① 대한민국의 경제질서는 개인과 기업의 경제상의 자유와 창의를 존중함을 기본으로 한다.
　② 국가는 균형있는 국민경제의 성장 및 안정과 적정한 소득의 분배를 유지하고, 시장의 지배와 경제력의 남용을 방지하며, 경제주체간의 조화를 통한 경제의 민주화를 위하여 경제에 관한 규제와 조정을 할 수 있다.

전철 노선 길이와 반비례하는 삶의 질

　서울 외곽에 주거지역 조성 계획이 발표되면 대기업들이 아파트를 짓습니다. 아파트는 완성되기 몇 년 전에 선불로 판매됩니다. 도로가 건설되고 학교와 관공서도 들어섭니다. 직장이 있는 서울까지 출퇴근이 가능하도록 새로운 버스 노선이 생기고 전철의 길이도 늘어납니다.

　입주가 완료되면 이른 새벽 수도권 각지에서 출발해 서울로 향하는 시내버스와 전철은 많은 사람들로 꽉 찹니다. 차량을 직접 운전해 집을 나서는 경우에도 새벽 일찍 서두르지 않으면 출근길 정체로 인한 육체적·정신적 피로를 각오해야 합니다. 대한민국 수도 서울은 12곳의 시와 1곳의 광역시가 둘러싸고 있습니다.[61] 그뿐 아니라 계속 연장되는 전철 노선은 수도권이 경기 지역을 넘어 충청과 강원권역까지 확대되는 데 큰 역할을 하고 있습니다.

　서울에서 멀면 멀수록 생활비가 덜 듭니다. 임금을 올리지 않아도 견딜만하게 됩니다. 그런데 이로부터 생기는 문제는 한둘이 아닙니다. 특히 건강에 적신호가 쌓이기 시작합니다. 젊을 때는 드러나지 않지만 중년을 넘기면서 여기저기 증상이 나타납니다. 아픈 원인이 어디서부터 시작된 건지 알 수도 없으니 자기 탓으로 돌리고 개인 돈으로 치료합니다.

---

[61] 고양, 과천, 광명, 구리, 김포, 남양주, 부천, 성남, 안양, 양주, 의정부, 하남, 인천 광역시

미국 워싱턴대학교 연구팀이 연구한 결과에 따르면 출퇴근 거리가 15km 이상인 사람들은 그 이하의 사람들보다 고혈압에 걸릴 가능성이 컸습니다. 24km로 늘어나면 지방 과다 및 비만과 운동 부족이 높게 나타났다고 합니다.[62] 스웨덴의 다른 조사에서는 출퇴근 거리가 멀어질수록 사망률이 최고 54% 높아졌고 심지어 이혼율도 증가한 것으로 밝혀졌습니다. 출퇴근에 걸리는 시간이 길어지면 식사 시간이 짧아지거나 늦어지고 또한 수면 부족을 야기해 건강에 심각한 영향을 끼친다는 것입니다.

끊임없이 만들어지는 도로와 철도는 먼 거리의 이동 시간을 줄여준다. 물류의 유통 속도는 더욱더 빨라지지만, 그에 반비례해 출퇴근 거리는 멀어진다. 이러한 환경의 변화는 과연 발전일까.

---

62 장인선, 「장거리 출퇴근이 당신의 건강을 위협한다」, 『경향신문』, 2016. 2. 18.

인천국제공항이 문을 열면서 김포공항의 국제선 대부분이 옮겨 갔습니다. 따라서 김포공항에서 일하던 노동자들의 근무지가 자연스레 인천공항으로 바뀌었습니다. 인하대 의대 연구팀이 인천공항으로 근무지를 옮긴 3만여 명에 대해 조사했습니다. 그 결과 출퇴근 시간이 평균 76분 늘어난 데 반해 수면 시간은 56분 줄었다고 합니다. 그로 인해 혈중 r-GTP(감마 지피티) 지수가 증가했는데 이는 간세포 손상에 대한 생체 지표로서 출퇴근 거리의 증가만으로 간을 해친 결과가 나온 것입니다.

수도권 노동자들의 출퇴근에 걸리는 시간은 평균 약 1시간 30분 정도입니다. 하루에 8시간 노동한다고 할 때 왕복 출퇴근 시간이 더해지면 하루 10시간 정도를 일하는 데 쏟는 셈입니다. 잠자리에서 일어나 출근 준비하고 식사하는 시간까지 더하면 여유를 누리는 삶은 거의 불가능합니다.

이런 변화는 비단 수도권만의 현상은 아닙니다. 전국 각 거점도시 주변에 위성도시가 생기면서 비슷한 변화를 겪고 있습니다. 국민 건강과 존엄한 삶의 질이 침해당하는 것을 보면서도 국가가 나서서 고칠 생각조차 하지 않는 이유는 무엇일까요. 많은 지역이 개발되어 아파트 수요가 늘면 토목·건설업의 대기업은 호황을 맞아 많은 돈을 법니다. 그런가 하면 집값이 싼 곳으로 이사한 노동자 덕분에 임금을 올리지 않아도 됩니다. 결국 전철 노선이 길어지는 것과 비례해 자본가의 부는 늘어만 가고 노동자 삶은 반비례하여 점점 고달파집니다.

사람과 닭의 비슷한 듯 다른 삶

#1

우리 사회에 s 그룹 단 하나의 계열 기업만 있다고 가정하겠습니다. 고등학교를 졸업한 젊은이가 s 그룹 재단의 대학교에 입학합니다. 아르바이트와 장학금으로 등록금의 일부를 내긴 하지만 고향 집을 떠나 낯선 대도시에서 생활하는 데 들어 가는 비용을 감당하기엔 역부족입니다. 정부가 권유하는 학자금 대출로 학비를 충당해 학업을 마칩니다. 사회에 나서기 전부터 빚더미에 올라앉은 것입니다.

졸업 후 어렵사리 취업에 성공한 이 젊은이의 직장은 s 그룹의 기업입니다. 신입사원 오리엔테이션에 참석하니 근무 시 복장에 관한 기준을 알려줍니다. 값이 만만치 않은 양복과 구두를 사려니 돈은 없고 월급은 후불이라서 난감합니다. 다행히 s 카드에서 신용카드를 발급해 줘 출근에 필요한 것들을 살 수 있었습니다.

한턱내라는 친구들 성화에 s 카드로 맛난 음식을 대접합니다. 이제 승용차를 살 때가 되었습니다. s 자동차의 최신 모델을 s 캐피탈의 할부로 구입합니다. 직장에서 자리 잡아 갈 무렵 결혼 준비를 합니다. 신혼집은 s 건설이 지은 아파트로 결정하고 s 은행의 주택 구매 장기 대출금으로 값을 지급합니다.

이제부터 대출금과 이자를 성실히 납부하는 일만 남았습니다. 태어날 자녀 양육을 위해 따로 자금을 준비해야 하고 자신들의 노후 연금도 부어야 합니다. 서른을 갓 넘긴 젊은 부부가 계산해 보니 예순 살은 넘어야 빚을 다 갚을 수 있겠습니다. 물론 아파서 직장을 그만두거나 중간에 해고당하지 않아야 한다는 전제가 있긴 합니다. 그렇게 빚을 다 갚고 나면 노인이 된 자신을 발견하게 될 겁니다.

#2

이번엔 양계장이 무대입니다. 닭이 할 일은 알을 열심히 낳는 것뿐입니다. 양계장 주인은 돈 벌어주는 닭이 기특합니다. 그래서 좋은 환경에서 알을 낳을 수 있도록 냉난방이 완비된 최신시설의 축사로 고칩니다. 사료도 최고급 제품으로 공급합니다. 닭은 이렇게 좋은 주인을 만난 것에 감사하며 열심히 알을 낳습니다. 부화한 병아리도 어미 대신 양계장 주인이 잘 키워 줍니다. 닭은 행복한 나날을 보냅니다. 푹신한 잠자리와 양질의 식량을 주인이 해결해 주었고 병아리 양육도 주인인 사람이 다 해줍니다.

닭과 병아리를 통해 이윤을 얻어 점점 부자가 되어가는 양계장 주인은 이렇게 하는 것이 당연한 일이라고 생각합니다. 닭이 사료를 열심히 먹고 잘 뛰어놀아야 높은 가격의 고기와 달걀을 판매해 더 많은 이윤을 얻을 수 있다는 사실을 잘 알고 있기 때문입니다. 닭이 누리는 모든 것은 결국 양계장 주인을 위한 것입니다.[63]

---

[63] 권재만, 「동물복지 수준 향상 친환경 축산 선도...궁극적 농가소득 효과」, 『축산신문』, 2014. 2. 10.

정리

s 기업에 입사한 젊은이의 인생을 들여다보니 도대체 누구를 위해 사는 건지 알 수가 없습니다. 분명 미래를 위해 열심히 공부했고 좋은 직장에 취업해 남 부러울 것 없이 잘살고 있는 것 같은데 뭔가 찜찜합니다. 필요한 것을 구입하기 위한 지출은 당연한 일이라고 생각했는데 돈을 벌 때마다 s 그룹에 다시 돌려줬다고 생각하니 닭보다 못한 삶을 산 것 같은 자괴감이 듭니다.

자본주의 사회에서 자본가는 노동자의 시간을 이윤으로 가져갑니다. 하루 8시간 일하는 노동자는 이에 상응하는 임금을 받지 못합니다. 만약 제대로 계산된 임금을 받는다면 자본가의 이윤은 제로가 될 것입니다. 약자인 노동자는 입에 풀칠이라도 해야 하기에 부당한 근로계약에 서명합니다. 물론 뭐가 잘못 된 것인지 알지도 못합니다. 노동자는 자본가로부터 대부분의 생필품을 구입합니다. 자본가는 여기서도 이윤을 얻습니다. 이러니 노동자의 삶은 늘 쪼들립니다.

그런데 노동자가 일한 만큼 임금을 받지 못하는 것이 돈의 문제만은 아닙니다. 인생은 타이머가 켜진 것처럼 시시각각 사라집니다. 그렇기에 누군가의 노동 결과를 다른 이가 가져갔다면 단순히 임금 몇 푼을 빼앗긴 문제가 아니라 삶 자체를 강탈당한 것이나 마찬가지입니다.

권력 쥔 사람들이 짜놓은 세상

노동자가 불합리한 근로계약서에 서명하는 이유는 아무 결정권 없는 약자이기 때문입니다. 정치·경제 권력을 장악한 소수의 사람이 만들어 놓은 세상이기에 별다른 도리가 없습니다. 뒤틀린 역사에서 보듯 한몸 같은 정치·경제·언론 권력이 합심해서 노동자를 쥐어짜 배를 불려 왔습니다.[64] 부정부패와 정경유착 편법과 투기 등의 방식으로 얻은 권력이므로 공정함과 정의는 처음부터 존재할 수 없었습니다. 사자, 하이에나, 독수리가 하나의 먹잇감을 놓고 순서를 지키듯 권력쥔 자들은 자기들의 질서를 유지합니다.

노동자가 잘못된 규칙을 고쳐 달라고 요구하면 이 셋은 한몸이 되어 짓누르고 목을 조릅니다. 또한 이미 세뇌된 다수의 노동자조차 같은 처지의 노동자를 비난하며 등 돌립니다. 이러한 권력구조가 바뀌지 않는 한 힘든 삶은 계속될 수밖에 없습니다.

자본주의는 자유가 넘치는 사회입니다. 신분제도는 없어졌고 쇠사슬에 묶여 강제 노동하는 모습도 사라졌습니다. 누구나 노력하면 부자가 될 수 있고 권력을 쥘 수 있다는 말은 귀에 못이 박히도록 들었습니다. 단 링에 오른 복싱 선수처럼 상대를 쓰러뜨려야 한다는 전제 조건이 있습니다.

---

64 김용철, 『삼성을 생각한다』, 사회 평론, 2010, 8쪽.

그렇게 할 것인지 말 것인지는 자유입니다. 강요하는 사람은 없습니다. 문제는 링에 오르지 않으면 아예 밥을 굶을 수도 있는 냉엄한 현실입니다. 돈이 지배하는 자본주의에 사람은 없습니다. 망설이는 노동자를 향해 링 위의 사회자가 외칩니다.

"당신은 자유인입니다. 어서 링에 올라 앞에 있는 상대를 때려눕히세요. 그리하면 꽃길 같은 미래가 당신을 맞을 것입니다. 물론 패하는 경우 당신은 죽은 몸이나 다름없습니다"

법은 강자 편

영화 〈청년 마르크스〉의 첫 장면. 울창한 숲에서 인근 마을의 가난한 주민들이 평화롭게 나뭇가지를 줍고 있습니다. 그런데 지축을 흔드는 말발굽 소리가 점점 가까워집니다. 이윽고 말 탄 사람들이 달리는 속도 그대로 칼과 곤봉을 휘둘러 무차별 폭행하여 살해합니다. 이어 몽테스키외를 인용한 독백이 흐릅니다. "법이 국민을 타락하게 한다."

전통적으로 귀족은 숲에서 사냥과 몰이를 할 권리가 있었고 소작농은 나무 같은 숲의 부산물을 수거할 권리가 있었습니다. 죽은 나뭇가지를 땔감으로 가져가는 일은 오랜 관습이었습니다. 하지만 엄격한 '소유권 절대'의 원칙으로 무장한 근대법은 생존을 위해 늘 하던 일을 하루아침에 불법으로 만들었습니다.

법이 빼앗은 삶터

1800년대 초반에 조선업과 철도 건설 등이 활발해 짐으로 인해 목재 가치가 급격히 올랐습니다. 이에 소작농의 전통적인 권리를 박탈하고 숲에서 나무를 수거하는 행위를 범죄로 정하는 여러 법률이 통과되었습니다. 일부 지역에서는 형사 기소의 거의 4분의 3이 벌목 같은 산림 범죄에 대한 것이었으니 법률은 산림 소유자의 이익만을 대변했다고 볼 수 있습니다.

경제학은 수요와 공급의 변화에 따라 가격이 변동한다고 설명합니다. 그러면서, 처음부터 한쪽은 상품을 상대편은 돈을 가지고 있는 것으로 가정합니다. 상품을 만들기 위해 어떤 과정이 있었는지 돈을 가진 사람은 어떻게 그 돈을 손에 쥐게 되었는지에 대해서는 아예 설명조차 하지 않습니다. 그러니 자본가는 태초부터 큰돈을 가지고 있었던 것으로 착각하기 쉽습니다. 하지만 태어날 때는 모두 평등하게 몸뚱아리뿐이었습니다.

상품을 생산해 이윤을 얻으려면 먼저 토지와 공장 그리고 기계와 원료를 구입해야 합니다. 그러려면 그것들을 구입할 종잣돈이 있어야 하는데 이 돈을 만드는 과정을 '시초 축적'이라고 합니다. 자본주의 이전에 대부분의 소작농은 국가나 교회 소유 또는 공동 소유 토지를 사용할 수 있는 세습적 권리를 가진 독립 생산자였습니다. 하지만 자본주의는 소작농의 전통적 권리를 강탈하면서 경제적 기초를 다졌습니다.

기존 생산자들은 새로 만든 다양한 법에 따라 토지에 대한 권리를 빼앗겼습니다. 전통적인 생계 수단이 하루아침에 불법이 되었으며 그들이 사용하던 토지는 자본가에게 완전히 넘어간 것입니다. 전통적인 생활 수단을 박탈당한 많은 소작농은 거지나 방랑자가 되거나 도적단을 결성했습니다. 그것은 범죄로 규정되었습니다. 이러한 역사적 과정을 보면 자본은 머리끝에서 발끝까지 모든 털구멍에서 피와 오물을 흘리며 태어난다는 설명보다 더 적절한 표현은 찾기 힘듭니다.[65]

당시에 소작농은 임금 노동자가 되기보다는 독립적인 생산자로 남아 있으려 했습니다. 하지만 이들이 갈 곳은 쉴 새 없이 돌아가기 시작한 공장뿐이었습니다. 그러니 사실상 농민을 임금노동자로 몰아넣은 것은 땅에서 쫓아낸 형법이었습니다. 자본주의의 경제적 기반은 이처럼 형법의 강압적 힘에 의해 확립되었습니다.

우리 역사도 이와 비슷한 과정을 거쳤습니다. 일제는 1912년에 〈토지조사령〉을 공포해 1918년까지 본격적인 토지조사 사업에 나섰습니다. 근대적 토지 소유제도를 확립한다는 핑계를 댔지만 실은 안정적인 토지세를 확보하기 위한 계략이었던 것입니다. 또한 농민들로부터 토지를 빼앗아 프롤레타리아를 광범하게 만들려는 목적도 있었습니다.

---

65 카를 마르크스, 『자본 1-2』, 강신준 옮김, 길, 2010, 1019쪽.

일제는 토지 소유관계를 정리한다면서 30~90일 안에 토지소유 자가 신고하면 그 땅을 신고한 사람 소유로 인정하겠다고 선전했습니다. 지주들은 자기 토지를 신고했지만 많은 농민은 신고를 꺼렸습니다. 복잡한 절차와 나라를 빼앗은 일제의 지시에 따르기를 꺼리는 마음이 이유였습니다. 아예 토지조사 사실조차 모르는 농민도 많았습니다.

사업 종료 후 조선총독부는 신고하지 않은 많은 토지와 황실 소유지, 미개간지, 개간지, 간석지와 산림 등을 모두 국유지로 만들었습니다. 일제가 삼킨 것입니다. 1911년 〈산림령〉, 1916년 〈임야조사 사업〉으로 전체 산림의 60%를 국유림으로 편입해 빼앗았습니다. 1911년 〈조선 어업령〉으로 좋은 어장은 거의 일본인 어부에 넘어갔습니다. 광산개발권도 대부분 일본인이 차지해 1913년 현재 광산의 75%가 일본인 소유였고 조선인 소유 광산은 1%에 불과했습니다. 이에 반해 조선총독부는 전 국토의 40%에 해당하는 전답과 임야를 차지하는 대지주가 되었습니다. 토지조사사업이 끝난 1918년에는 논의 64.6%, 밭의 42.6%가 소작지가 되었습니다. 전체 농가 수의 3.1%에 해당하는 지주가 경지면적의 50.4%를 차지했고 자작 농이 19.7%, 자작 겸 소작농과 소작농은 77.2%가 되었습니다.

토지조사사업은 자본주의적 토지 소유제도의 확립을 구실로 지주의 소유권을 강화한 식민지 지주제를 확립했습니다. 또한 토지로부터 완전히 분리되거나 절반쯤 분리된 프롤레타리아를 광범하게 만들어 냈습니다. 이들 소작농은 이후 식민지 자본주의가 자본축적을 본격화할 때 임금노동자의 주요 공급원이 되었습니다. 따라서 토지조사사업은 식민지 조선에서의 '시초 축적'이라 할 수 있습니다. 이 같은 사업 시행 결과 실제 토지를 소유하고 있던 수백만의 농민이 권리를 잃고 영세소작인 또는 화전민이나 자유노동자로 전락했습니다.[66] 여기서 자유는 아무것도 없이 떠도는 걸인이 될 자유를 뜻합니다.

사업	시기	결과
토지조사령	1912 ~ 1918	• 논 64.6%, 밭 42.6% 소작지 • 토지세 수입 1910년 600여만 원에서 1918년 1,156만 9천 원으로 증가 • 일본으로 수출된 쌀 1910년 대비 5배 증가 • 전통적인 경작권을 비롯한 농민의 여러 권리 부정 • 지주의 소유권만 인정해 지주층을 식민지 농업 정책의 협력·동반자로 포섭 • 국유지로 편입된 토지를 동양척식주식회사나 일본인에 헐값에 매각 • 1915년에 일본인 지주가 전체 경지면적의 10% 넘게 소유(곡창지대인 호남, 경기도에 집중)
산림령	1911	전체 산림의 60% 국유림화
임야조사사업	1916	
조선어업령	1911	좋은 어장 대부분은 일본인 차지
광산소유		일본인 75%, 조선인 1% 소유

66 박승호, 『한국 자본주의 역사 바로 알기』, 나름북스, 2020, 63~69쪽.

권력의 동반자 법원

소설 〈레미제라블〉의 주인공 장 발장은 빵 한 개를 훔친 죄로 19년의 세월을 감옥에 갇혀 지냈습니다. 감옥을 나온 이후의 행적만 보면 그는 마음 따뜻한 사람으로 보입니다. 바퀴에 깔린 사람을 구하기 위해 혼자의 힘으로 마차를 들어 올릴 만큼 괴력의 사나이이기도 합니다.

여기서 생각해 볼 점은 두 가지입니다. 그토록 힘센 사람이 노동으로 먹거리를 구하지 못하고 빵을 훔칠 정도의 사회라는 점과 그 정도의 죄에 대해 한 사람의 인생 대부분을 감옥에 있도록 한 당시 법의 역할입니다.

죄와 벌. 국가는 다양한 이름의 법을 통해 규칙을 정해 두고 어길 시에는 벌을 주는 방식으로 유지합니다. 이를 '죄형법정주의'라고 합니다. 법으로 정해두지 않은 일은 처벌할 수 없지만 법에 정해져 있기만 하면 그 내용이 어떻든 일단 처벌이 정당화되는 것입니다. 악법도 법이 되는 것이지요. 문제는 그러한 기준을 힘 있는 사람들이 일방적으로 만들었다는 점입니다.

그런데 법관에 따라 판결이 달라지는 것이 이상한 일은 아닙니다. 우리 헌법은 법관이 판결할 때 '헌법'과 '법률' 그리고 '양심'에 따라 누구의 간섭도 받지 않고 결정해야 한다고 정해두었습니다. 여기서 말하는 양심은 법관의 가치관 또는 철학을 일컫는 것이니 빵 한 개를 훔친 장 발장을 어떻게 바라볼 것인가는 법관의 양심에 따라 달라질 수밖에 없습니다.[67] 법관 마음이라는 것입니다. 물론 법관의 마음이 경제적 강자의 편에 설 것임은 분명해 보입니다.[68]

법의 여신 또는 정의의 여신으로 불리는 디케(DIKE)가 상징하는 것은 세 가지입니다. 첫째는 대상에 관한 공정성입니다. 대한민국 법은 대상이 누구냐에 따라 잣대가 달라집니다. 돈 없고 힘없는 사람이나 배우지 못한 사람에게만 엄격하고 돈과 권력 있는 사람에게는 관대합니다. '유전무죄 무전유죄'가 세상을 떠들썩하게 한 지 수십 년이 지났어도 이 법칙은 유효하며 보통 사람에게 법의 공정함은 먼 나라 일입니다.

두 번째는 기울지 않는 형량입니다. 법관은 양형하면서 적용이 제대로 되었는가 적절한 형벌인가 벌의 크기는 죄에 상응하는가 등을 살펴야 합니다. 하지만 고무줄처럼 늘거나 주는 일이 시도 때도 없이 벌어진다면 법치주의는 기능을 상실한 것입니다. 힘없는 자에게는 과중한 처벌을 힘 있는 자들에겐 관용의 미소를 보여 온 것이 우리 법입니다.

세 번째는 가차 없는 처벌입니다. 이 역시 디케의 기준과는 거리가 멉니다. 휠체어에 앉은 채 법원이나 구치소를 나서는 권력자나 재벌의 모습이 친숙하게 느껴질 정도입니다.

---

67 헌법 제103조
　　법관은 헌법과 법률에 의하여 그 양심에 따라 독립하여 심판한다.

68 러셀 갤로웨이, 『법은 누구 편인가』, 안경환 역, 고시계, 1985, 212쪽.

대한민국의 대표적 기업으로 성장한 삼성을 창업한 이병철은 눈에 흙이 들어가기 전에는 노동조합을 인정할 수 없다는 경영 '철학'을 가진 사람이었습니다.[69] 이는 헌법 제33조를 정면으로 부정하는 것입니다. 헌법 가치를 따르지 않는 기업이 승승장구하면서 오늘까지 이어져 오는 것만 보더라도 대한민국이 어떻게 지나왔는지 알 수 있는 대목입니다.

법의 여신 또는 정의의 여신으로 불리는 디케(DIKE)의 눈은 가려져 있다. 앞에 있는 대상이 누구든 상관없이 정해진 기준에 의해 판결하겠다는 의지의 표현이다. 손에는 저울을 들고 있다. 정해진 대로의 공정한 판결을 상징한다. 다른 손에는 칼을 들고 있다. 사실관계와 법의 기준을 정확하게 판별해 그에 상응하는 벌을 가차 없이 내리겠다는 뜻이다.

69 조계완, 「무노조 신화 그 무데뽀 정신」, 『한겨레21』, 2005. 9. 6.

노동자가 직장에서 해고당하면 먼저 살펴봐야 할 것은 취업규칙의 징계 사유에 해당하는가 하는 점입니다. 기업은 근로조건과 관련된 사항을 문서로 작성해 두어야 합니다.[70] 감봉이나 정직 등 징계하기 위해서도 취업규칙에 미리 명시되어 있어야 하는데 기업이 일방적으로 작성하는 것이므로 노동자의 의사가 반영될 여지는 전혀 없습니다. 이처럼 한쪽이 일방적으로 정해놓은 기준에 의해 일자리를 빼앗는 것을 공정한 관계라고 할 수는 없습니다.

해고당한 노동자나 노동조합이 외치는 '부당해고 철회하라'는 구호는 애초에 의미 없는 메아리입니다. 일방적으로 결정되는 해고에 '정당'함이란 있을 수 없으며 모든 해고는 노동자 입장에서 보면 죽으라는 말이기 때문입니다. 근로기준법은 양 당사자가 동등한 지위에서 자유로운 의사에 따라 근로조건을 결정해야 한다고 선언하고 있지만 말 그대로 선언일 뿐입니다.

대부분 사람은 취업해야 먹고 살 수 있습니다. 학교 문을 나선 이후부터 사용 가치가 없게 되어 쫓겨나는 노년까지 평생 노동합니다. 그러므로 근로계약은 삶 그 자체입니다. 그런데 이 과정에 민주주의는 없습니다. 우리는 모두 민주주의가 당연히 있다고 믿어왔지만 어디에도 그것은 없습니다. 닿을 듯 닿지 않는 무지개처럼 대한민국 사람들 삶에 민주주의는 없습니다.

---

70 근로기준법 제93조
상시 10명 이상의 근로자를 사용하는 사용자는 다음 각 호의 사항에 관한 취업 규칙을 작성하여 고용노동부장관에게 신고하여야 한다.

모든 분야에 있는 법꾸라지와 법 기술자

인공지능(AI)이 일상에 적용될 정도로 첨단 시대가 되었지만 법학을 공부해 변호사나 판·검사가 되려는 사람은 여전히 넘칩니다. 법조인이 사회 상층에 위치한 한국 사회의 풍경을 반영한 세태입니다. 또한 세상이 복잡해질수록 새로운 법이 만들어지기 때문에 법이 필요한 분야는 더 늘어납니다. 법치를 기본으로 하는 사회에서 법은 존중받고 법조인도 존경받는 것이 당연한 일일 겁니다. 하지만 법이나 법 전문가에 대한 불신이 팽배한 대한민국입니다. 법이 주로 권력 가진 자의 도구로서 기능에 충실하다는 사실을 온 세상이 경험으로 알고 있기 때문입니다.

최근 우리 사회에는 '법꾸라지' 또는 '법 기술자'라는 조롱 섞인 표현이 회자하고 있습니다. 무소불위의 권력을 쥔 검사는 기소 전 단계에서 공정하고 철저한 수사로 억울한 사람이 법의 화를 입지 않도록 보호해야 합니다. 하지만 검사가 그 책무를 내던진 지 오래입니다. 공정한 잣대와 사람의 마음으로 판결 내려야 할 판사 역시 눈가리개를 풀어버린 지 오래입니다. 정의 실현을 가치로 삼아야 할 변호사도 돈 아래에 무릎 꿇은 이가 대부분입니다. 법학에 입문하며 지녔던 청년의 푸른 꿈이 잿빛으로 바뀌는 데는 그리 오랜 시간이 필요치 않습니다. 대한민국이라는 토양이 썩어버렸기 때문입니다.

법꾸라지는 마치 손으로 잡으려고 하면 미끈거리는 몸체를 이용해 빠져나가는 미꾸라지처럼 법을 잘 아는 자들이 법의 빈틈을 자유자재로 악용하며 빠져나가는 것을 일컫습니다. 과거에는 사사오입 개헌과 같이 명확하게 보이는 사안을 낯 두껍게 밀어붙였다면 오늘날엔 교묘하고 은밀하게 그러면서도 때론 과감하게 법을 가지고 놉니다. 그래서 법 기술자로 불리는 것입니다.

그런데 법꾸라지나 법 기술자를 검사나 판사로 범위를 좁혀서볼 것만은 아닙니다. 오늘같이 복잡한 사회에서 법은 곳곳에 영향을 끼치고 있기 때문입니다. 예를 들어 중요한 현안 중 하나인 노동문제를 보더라도 법 문제를 다루는 곳은 고용노동부와 노동위원회그리고 법원이 있습니다. 이들 역시 하나같이 현란한 법 기술을 선보이곤 합니다. 약자인 노동자의 반대편에서 갑의 위치에 있는 사용자는 법꾸라지로서의 역량을 어김없이 발휘합니다. 그러니 '법꾸라지' 또는 '법 기술자'라는 용어의 당사자는 법조계뿐 아니라 우리사회 모든 영역에 다양하게 포진하고 있다고 할 수 있습니다.

법은 명확해야 합니다. 하지만 근로기준법은 수많은 예외를 두어 사용자만 보호합니다. 웬만하면 물고기가 다 빠져나가게끔 대충 엮어놓은 그물 같습니다. 법을 이용하는 법 기술자는 그때그때상황에 따라 해석을 달리하면서 노동자의 삶을 나락으로 밀어 넣습니다. 우리 헌법 제32조 제3항은 근로조건을 결정할 때 인간의 존엄성이 유지되어야 한다는 기준을 제시했지만 노동 관련 법에는 그에 부합하는 내용이 아예 없습니다.

그러니 노동 관련 법들은 위헌 법률의 소지를 안고 있습니다. 뿐만 아니라 근로기준법 제3조는 자신이 '최소' 기준임을 자랑스레 밝히고 있습니다. 그런데 누구 하나 나서서 이 법의 잘못을 지적하거나 바로 잡으려고 하지 않습니다. 하루 벌어 하루 먹고살기 바쁜 노동자들이 헌법의 의미나 근로기준법의 구체적인 내용을 알기는 어렵습니다. 그러니 국가가 적극적으로 나서서 알려주고 문제를 해결해 줘야 하지만 그런 일은 절대 일어나지 않습니다.

법치 국가에서 국민이 법에 기댈 수 없다면 국가와 정부는 없는 것이나 마찬가지입니다. 이는 국가 붕괴를 의미합니다. 그러한 현실에 대해 자조와 비아냥을 섞어 뱉는 표현이 법꾸라지와 법 기술자입니다. 이는 단순한 법 영역의 문제가 아닙니다. 민주공화국의 버팀목인 법이 오히려 민주주의의 근간인 신뢰를 깨는 데 기여하고 있기에 그렇습니다. 사람 사이의 관계에서 믿음이 사라지면 그 사회는 운명을 다 한 것입니다. 장 발장을 가두고 땅에서 농민을 내쫓던 법의 잣대가 21세기의 대한민국에서도 모든 사람의 삶을 옥죄고 있습니다.

힘없으면 법은 무용지물

노동자를 적대시하는 부당한 행태에 항변하기 위해 집회를 연 전국민주노동조합총연맹 위원장 한상균은 2017년에 대법원으로부터 징역 3년 형을 선고받고 감옥에 갇혔습니다. 2015년 당시 정부와 경찰은 해당 집회가 열리기 전부터 불법 집회라고 주장하며 강력히 처벌할 것임을 경고했습니다. 이는 본질적으로 헌법 제21조가 보장하는 '집회의 자유'를 원천 방해한 것으로서 오히려 경찰과 정부가 헌법을 위반한 행위였지만 대법원은 그들의 손을 들어 준 것입니다.

그에 앞서 2009년에 쌍용자동차 노동조합은 회사를 인수하게 된 중국의 상하이자동차가 스포츠실용차(SUV) 생산 기술만 중국으로 빼간 뒤 국내 투자는 하지 않고 재매각할 가능성이 크다고 주장했습니다. 그러던 중 사측이 집단 해고를 시작하자 노동자들은 쌍용자동차 평택 공장을 점거하고 농성을 벌였습니다. 이에 정부는 경찰 특공대를 투입해 진압했고 노동조합 지부장인 한상균을 비롯한 64명의 노동조합원이 구속되었습니다. 이 사태에서 정부는 책임 소재를 가리거나 문제의 근원적인 해결에 나서기보다는 부당한 대량 해고에 맞선 노동자들을 향해 경찰특공대를 투입해 폭력으로 강경 진압했습니다. 국민을 지켜야 할 국가가 다른 나라 투기 세력 손을 들어준 것입니다.

파업에 참여한 많은 노동자가 감옥에 갔고 이 영향으로 수십 명의 노동자가 사망했습니다. 신자유주의 속 국제적인 투기꾼들에게 넘어가는 국가의 부를 지키기 위해 싸운 쌍용자동차 노동자들이 과연 정부와 언론의 선전대로 사회를 혼란케 한 불순 세력들일까요. 생존을 위해 저항하는 사람들을 경찰력으로 제압하는 것을 민주국가라고 할 수는 없습니다. 이 사건은 법이 국적조차 가리지 않고 힘과 돈 있는 사람 편에 서 있음을 확실히 알 수 있는 예입니다.

그런데 아직도 노동자들은 권력과 법에 하소연합니다. 현실에서 힘없는 노동자가 권리를 찾는 일은 거의 불가능하기에 그렇게라도 해 보는 것입니다. 그렇다 하더라도 노동자가 채워진 족쇄를 직접 끊을 생각은 하지 않고 자신을 짓누르는 상대에게 눈물로 호소하며 도와달라고 애원하는 것은 스스로 노예임을 인정하는 일입니다. 더군다나 그렇게 해서 약자의 삶이 바뀐 역사는 없습니다.

노동자들이 사회 구조의 모순을 정확히 알기 위해 공부하고 단결과 투쟁을 실천해 힘이 생기면 법은 노동자 편에 서게 될 것입니다. 법이 어딘가에 새겨진 문자로서 의미 있는 것이 아니라 살아있는 생물같이 변화무쌍한 속성을 지닌 것임을 인식해야 합니다. 자연법칙에서 힘은 무언가를 움직이게 하거나 모양을 바꾸게 합니다.[71] 마찬가지로 법에 종속되지 않고 오히려 법을 지배할 힘을 가지게 될 때라야 법이 우리 곁으로 다가올 것입니다.

---

71 김형근, 『힘과 운동』, 백정현 그림, 지경사, 2009, 15쪽.

반란군이 남긴 깊은 상처들

농촌이 붕괴되고 산업화가 시작되면서 수많은 사람이 꿈을 안고 무작정 한강을 건넜다. 금의환향을 끝내 이루지 못한 채 고향을 그리며 도시의 빈민이 되었다. 박정희와 전두환의 반란군 주력이 한강을 건너 군사독재가 시작되었다. 한강은 부동산 투기의 상징인 강남과 강북을 나누고 자본가와 노동자 정규직과 비정규직 등 무수한 대한민국 분리 현상의 출발선이다.

폭력

역사가 정상 궤도에서 벗어나면 모든 사람의 삶이 뒤틀립니다. 지난 백여 년의 대한민국 역사는 온갖 오물이 쌓인 쓰레기장을 방불케 할 정도였습니다. 일제와 해방 뒤의 미군정, 6·25전쟁과 이승만 독재, 반란군 박정희와 전두환의 군사독재와 피의 지배까지 하나같이 정당성 없이 인치(人治)를 자행했던 권력이었기에 정상적인 생각을 하는 사람은 모두 제거당하고 아첨꾼들만 득실거렸습니다.

5·16 반란 직후 서울시청 앞에서 찍힌 박정희의 사진이 있습니다. 짙은 색안경을 낀 그의 양옆에는 권총을 찬 두 명의 부하가 서 있는데 특히 가슴에 수류탄을 매달고 있는 졸개의 표정은 매우 험악합니다. 이 자는 18년 뒤인 1979년 10월 26일 밤에 총탄을 맞고 생을 마감했습니다. 시청 앞 사진은 대한민국에서 벌어질 일들을 암시하는 분위기를 담고 있었습니다.

반란군은 나라를 구하려는 한 가지 마음으로 병영을 박차고 나왔노라고 선전했습니다. 언론기관을 장악한 후 자기들 행위가 혁명이라고 강변하면서 국민을 세뇌하는 데 주력했습니다. 하지만 혁명은 국민 전체의 이익을 추구하면서 자유를 목표로 하는 데 반해 반란은 소수의 이익을 추구하면서 전체주의를 지향합니다.[72]

---

[72] 주명철, 『대서사의 서막 : 혁명은 이렇게 시작되었다』, 여문책, 2015, 9쪽.

그렇기에 박정희와 추종 세력이 자행한 수많은 살상과 공포 정치, 그들만의 담합에 의한 부 축적은 혁명이라고 하기엔 가당치 않은 것이었습니다. 이 기간에 모든 국민은 겁박과 폭력, 살해의 위협 속에서 말과 생각할 자유를 빼앗긴 채 살았습니다. 오죽하면 언 땅이라는 뜻의 동토(冬土)의 시대라고 했을까요. 정권을 잡은 이들에게 국민은 한낱 길들일 대상일 뿐이었고 기업인은 자신들의 주머니를 채워주는 집사에 지나지 않았습니다.

　　전두환도 비슷한 사진이 있습니다. 군인 신분인 그가 자신보다 계급 높은 사람이 즐비한 틈에 다리를 쩍 벌리고 팔짱 낀 채 기대앉은 장면이 그것입니다. 계급이 생명인 군대임에도 자신의 위세를 그렇게 드러낸 것입니다. 전두환도 박정희와 마찬가지로 스스로 육군 대장 계급장을 단 후 최고 권력자가 되었습니다. 박정희 개량판인 전두환은 군대의 보안사령부와 특수전사령부 병사들을 앞세운 공포정치로 민주주의를 열망하는 국민을 무참히 살해했습니다.

　　박정희와 전두환이 권력 쥔 기간은 25년입니다. 한 세대에 해당하는 기간이니 사회의 모든 부분에 악의 뿌리가 깊이 자리 잡을 수밖에 없었습니다. 탱크와 총을 앞세워 권력을 장악한 이들에게 헌법 질서 따위는 안중에 없었습니다. 두 반란군은 사람이 사람을 대함에 있어 서로 존중하고 본분에 따라 격에 맞는 언행을 해야 하는, 우리 사회가 간직해 온 사람의 예의를 박살 냈습니다. 이에 따라 대한민국은 조직 폭력배들의 이권 다툼 장 같은 세상이 되어 역사상 처음으로 제대로 된 민주주의 국가가 될 기회를 빼앗겼습니다.

민주를 외치는 사람은 감옥에 보내고 강단 있게 저항하는 사람은 고문과 살해로 잠재웠습니다. 이 같은 방식은 전염병처럼 사회 곳곳에 그대로 옮았습니다. 국가기관이나 민간 부분에도 같은 방식이 전파되었습니다.

이런 방식으로 돌아가는 세상에서 태어나고 성장한 사람들은 자연스레 생존의 지혜를 터득했습니다. 정의로운 생각과 올바른 행동을 하는 것이 얼마나 위험한 일인지 마음에 새기고 또 새기며 살았습니다. 강자에겐 고개 숙여야 출세할 수 있음을 보고 배우며 익혔습니다. 약자에게는 강자의 위엄을 보이는 세태를 좇았습니다. 무기를 든 군사 반란군으로부터 시작된 폭력은 전염병처럼 사회 곳곳에 자리 잡았습니다. 어른이나 아이 할 것 없이 돈과 권력, 힘이 곧 진리라는 것을 신앙처럼 믿는 세상이 되었습니다.

그 결과 대한민국 전체에 불신 풍조와 패거리 문화, 아첨과 줄서기가 만연하게 되어 정의로운 목소리를 내는 인재는 설 자리가 없게 되었습니다. 그러니 오늘날 대한민국에 정의가 남아있을 리 없습니다. 이처럼 반란군이 권력 쥔 긴 세월은 대한민국에 다양하고 깊은 상처를 남겼습니다. 개인의 자유를 억압한 국가주의와 군사 문화는 한국 사회를 각자도생의 나라로 만들었습니다.[73]

---

73 박노자, 『비굴의 시대』, 한겨레출판, 2015, 7쪽.

빈부 격차

지구는 누구의 소유도 아닙니다. 그런데 인류가 지배자와 피지배자로 나뉘면서부터 땅의 주인이 생겼습니다. 강자가 정해놓은 규칙에 따라 그들 소유물이 된 것입니다. 조선 시대의 땅 주인은 왕실이었습니다. 조선 멸망 후에 땅 주인은 사라졌습니다. 이어 한반도에 침략한 일제가 근대 민법의 소유권 제도를 도입해 적용하면서 중요한 땅을 차지했습니다. 광복 후에는 미군정이 점령한 후 일본인들이 소유하고 있던 땅과 공장 등을 나눠줬습니다.[74]

아주 옛날에는 지구에 사람이 없었다. 당연히 땅 주인도 없었다. 그런데 우리는 땅을 돈 주고 산다. 다음 사람에게 팔 수 있다는 믿음을 국가가 심어줬기 때문이다. 맨 처음 돈 받고 판 사람은 누구일까.

---

[74] **적산불하**
한반도에 진주한 미군정은 적(일본)의 재산을 자신들이 만든 기준에 따라 나눠줬다.

박정희의 군사 반란군 세력은 서울 중심에 몰려 있는 명문 고등학교들 때문에 인구가 밀집된다는 이유를 들어 학교를 대거 한강 남쪽으로 이전하게 했습니다. 북한의 공격에 대비해 수도의 중심을 남쪽으로 옮기는 것이 좋다는 핑계를 대면서 제3한강교 건너 강남을 이용한 그들만의 부 축적에 열을 올렸습니다. 자기들만 미리 알고 있는 도시계획과 땅 개발 정보를 이용한 것입니다.

　　이때부터 땅을 중심으로 벌어진 빈부격차는 세월이 흐를수록 더욱 깊어지고 공고해져 오늘에 이르고 있습니다. '강남 불패'나 '부동산 불패'라는 유행어가 상징하듯 한강은 대한민국의 사회구조를 둘로 나누었습니다. 대통령 선거를 비롯한 큰 선거철만 되면 부동산을 주제로 하는 졸속 공약이 난무하며 그에 따라 당락이 결정되기도 합니다. 국가 전체가 야바위 노름판이 되어 한 몫 잡으려는 사람들로 넘칩니다. 하지만 노름의 본질이 그러하듯 이 판에 뛰어든 대부분은 소수의 기득권 세력이 챙길 판돈만 키워준 채 몰락의 길을 걷습니다. 그렇게 해서 소수의 부자는 더욱 큰 부자가 되고 대부분의 보통 사람은 더욱 나락으로 떨어집니다.

　　반세기가 지난 오늘에도 이 틀에서 벗어나는 것은 불가능하고 특히 대를 이어 전달되면서 새로운 세대가 아무리 몸부림쳐도 벗어날 길 없는 형틀이 되었습니다. 모든 사람이 살아있는 동안만 잠깐 이용할 토지를 소수의 자들이 권력을 이용해 대대손손 물려주고 있는 것입니다. 대동강물을 돈 받고 팔았다는 봉이 김선달이 울고 갈 일입니다.

인명 경시

1960~1970년대 농업에서 제조업으로 생산구조가 바뀌는 과정에서 수많은 농부가 무일푼의 맨몸으로 도시로 향했지만 이들이 할 수 있는 일이라고는 날품팔이뿐이었으며 그마저도 치열한 경쟁을 뚫어야 입에 풀칠이 가능한 상황이었습니다.

또한 대한민국의 경제성장은 허리를 펼 수조차 없는 공간에서 하루 열여섯 시간 이상 노동한 어린이와 청소년이 희생이 있었기에 가능했습니다. 가정의 보호를 받지 못하는 아이들은 돈 벌기 위해 집을 떠나 열악한 상황에 놓여 있었습니다. 사업주들은 오로지 돈 벌 욕심에 이 아이들을 쓰다 버릴 소모품으로 대했습니다. 반란군 정권은 방치 내지는 방조하면서 그것에서 나오는 이익을 나눠 갖는 데만 혈안이었습니다. 먹지 못하고 잠잘 곳마저 열악한 상황에 부닥친 아이들은 병들었습니다.

이러한 당시 상황에 대해 경제 규모가 작아 모두 가난한 시절이었기 때문에 어쩔 수 없었다는 논리로 합리화하는 자들이 있습니다. 하지만 전혀 사실에 부합하지 않습니다. 반란군 세력은 권력을 이용해 엄청난 부를 쌓았고 그에 아부하는 사회 각계의 지배층도 그에 비례해 부와 권력을 누리고 있었습니다. 온 나라가 공권력을 등에 없은 강도와 도적 떼로 들끓은 시대였습니다. 이러한 곳에서 생명의 온기가 느껴질 리 만무했습니다.

탱크를 앞세워 불법으로 국가를 강탈한 세력과 그에 빌붙어 떡고물이라도 얻어먹은 자들, 그 자손들까지 축적한 상상을 초월하는 부는 그간 우리 사회 전반에서 민주주의라는 것이 아예 없었음을 대신 설명합니다. 박정희부터 전두환을 지나는 동안 국가 운영은 공갈과 협박이라는 폭력의 방식으로 진행되었습니다.

　경부고속도로는 1968년에 공사를 시작해 세계적으로 유례가 없을 정도로 짧은 기간인 2년 5개월 만에 완공됐습니다. 기술과 장비를 갖추고 전문 인력과 경험이 풍부해도 불가능한 기간에 아무것도 갖춰지지 않은 상태에서 이토록 짧은 기간에 공사를 마쳤으니 많은 사망자가 나오는 것은 이미 예견된 일이었습니다.

　군사작전을 방불케 하는 일사불란한 방식이 동원되면서 공식 발표에 의한 사망자만 77명이나 될 정도로 많은 노동자를 희생양으로 삼았으니 평균 열흘에 한 명꼴로 노동자가 죽어도 중단없이 공사를 강행한 것입니다. 겉으로 성과를 드러낸 '한강의 기적' 이면에는 '빨리빨리'를 외치며 밀어붙이던 시대 분위기가 있었습니다. 부실 공사로 인한 사고가 끊임없이 이어지는 대한민국의 생명 경시 풍조가 어제오늘 일이 아님을 경부고속도로의 역사는 보여줍니다. 1994년의 삼풍백화점과 성수대교 붕괴 사고는 성장의 크기에 비해 그늘이 훨씬 넓고 깊게 지배하고 있음을 확인시켜 주었습니다.

비민주적인 사회 구조

1960년 당시 육군 소장 계급장을 단 채 자신의 상관과 군 통수권자인 대통령마저 몰아내며 권력을 차지한 박정희는 헌법과 민주주의를 짓밟은 반역 군인이었습니다. 박정희는 권좌를 지키기 위해 긴급조치라는 전대미문의 초법적인 권력 장치를 가동해 자기에게 반대하거나 민주주의를 외치는 사람들을 가차 없이 살상했습니다. 그런가 하면 군사독재를 정당화시키기 위해 어린 학생들에게까지 '한국적' 민주주의라는 이념을 주입했습니다. 민주주의 앞에 한국적이라는 단어를 섞음으로써 우리만의 고유한 민주주의가 있는 것처럼 술수를 부렸습니다. 하지만 이는 독재의 다른 표현에 불과한 것이었습니다.

강산이 두 번 바뀔 정도의 긴 세월 동안 권력을 휘두른 박정희의 영향은 대한민국 곳곳에 스며들었습니다. 조폭식의 국가 운영은 정의와 평등을 가치로 삼은 대한민국의 헌법 질서를 무너뜨렸고 반란군에게 아부하는 자들의 협잡으로 경제민주주의는 설 자리를 잃었습니다. 그렇게 이득을 얻은 자들이 부정부패와 독재의 친위 세력이 되어 오늘날까지 여론을 주도하며 민주주의 발전을 방해하고 있습니다. 결국 소수의 반란군 세력이 부의 대물림을 하는 사이 모든 선량한 국민은 경제적 가난과 하층계급이라는 사회적 신분을 부여받았습니다, 그렇게해서 민주적 기본질서는 물론 모든 국민의 풍요로운 삶이라는 가치는 하찮은 것이 되고 말았습니다.

국민에게 독재의 실상을 알리려는 언론을 탄압하여 수많은 기자들을 일터에서 쫓아내는 한편 머리 조아리는 자들에겐 당근을 던져 주는 방식으로 길들였습니다. 국가 경제 발전이라는 미명하에 족벌·재벌 기업을 키움으로써 경제구조를 기형적으로 만들었습니다. 오늘날 세계 10위를 넘보는 경제 강국 대한민국이 되었지만 개별 노동자들의 삶이 나아질 기미를 보이지 않는 현실이 그 증거입니다.

　박정희로부터 시작된 공화당은 전두환의 민정당으로 이어졌고, 민자당, 신한국당, 한나라당, 새누리당, 자유한국당, 국민의힘 순으로 간판을 바꾸면서 마치 보수인양 위장한 채 가문의 명맥을 지켜오고 있습니다. 이처럼 군사 반란군이 심어놓은 독재의 뿌리는 이제 다양한 형태로 온 나라에 퍼져 그들만의 대한민국을 만들었습니다. 그 결과 정치, 경제, 사회적으로 소수의 지배층과 다수인 소외층으로 계급이 나뉘어 마치 콘크리트처럼 공고한 틀로 굳었습니다. 이들 정치세력과 재벌의 정경유착, 공권력의 상징인 검찰과 언론사의 검언유착. 특히 재벌 기업이 소유한 언론사 대부분은 대한민국을 좌지우지하는 특정 세력을 위해 용비어천가를 불러대고 있습니다. 거꾸로 쥔 펜과 뱀같은 혀를 놀리는 이들의 활약에 속은 국민의 힘든 삶은 더욱 깊은 나락으로 떨어지고 있습니다.

신자유주의와 비정규직

정부와 지방자치단체들은 예산을 들여 끊임없이 취업박람회를 연다. 그런데 비정규직
으로 헐값에 일 시키려는 사기업들의 구인을 대신하는 경우가 대부분이다. 사진은 한
재벌기업 백화점의 신규 점포 개장을 맞아 안양시가 구인 행사를 벌이고 있는 모습이
다. 대부분 백화점 지하의 소규모 식품 판매 업체 등에서 일할 노동자를 파견 또는 용
역 업체를 통해 비정규직으로 채용하는 일자리였다.

신자유주의

자본주의가 본격화하면서 서구 열강의 자본 세력은 국가의 간섭 대신 오히려 지원받으며 세계를 무대로 원하는 것을 얻는 자유를 누렸습니다. 이것이 자유주의입니다. 그러나 1929년의 대공황에서 보듯 자본주의에 잠재해 있는 모순은 붕괴 위기를 불러왔습니다. 이를 타개할 방법은 부를 만들어내는 노동자의 먹고사는 문제 해결이었습니다. 그래야 자본주의가 안정적으로 달릴 수 있고 이윤이 늘어난다는 사실을 안 것입니다. 임금 인상과 노동시간 단축, 노동조합 인정 등으로 노동자의 기본 삶을 보장해 줘야 자본주의가 멈추지 않고 전진할 수 있음을 깨달았습니다.

노동자의 주머니로 들어간 임금은 상품 구입과 소비로 이어졌습니다. 임금이 오르고 휴일이 늘어난 노동자는 밖으로 나가게 됩니다. 자동차를 구입해 가족과 먼 거리를 여행하고 음식을 사 먹습니다. 볼거리를 위해 관광지가 개발되고 영화나 공연 같은 문화예술 분야의 투자도 늘어납니다. 이처럼 노동자의 권리 향상은 국가 경제를 탄탄하게 하는 동시에 국민의 삶을 풍요롭게 했습니다.

19세기부터 하루 8시간 노동을 외치며 목숨 건 투쟁을 한 노동자들의 희생으로 법과 제도가 바뀌기 시작했습니다. 미국은 1935년에 와서 하루 8시간 노동을 법으로 제정하기에 이릅니다. 이런 분위기 변화를 타고 전 세계에 '요람에서 무덤까지'라는 말이 유행어가 되었습니다.

하지만 멀리 내다보지 못하는 자본의 특성은 자신들 멋대로 돈을 벌던 자유의 시기로 되돌아가기 위한 꿈을 다시 키워나갑니다. 노동자를 배제하고 독식하던 과거로 회귀할 기회를 호시탐탐 엿보았습니다. 드디어 분위기가 무르익자 자유주의 시대의 영광을 재현할 것을 선언하며 새로운 자유주의의 닻을 올렸습니다.

과거의 자유주의와 신자유주의의 차이점은 다음과 같습니다. 앞 시기에 산업 생산자본이 지배했다면 후자는 금융 투기 자본이 생산 산업을 지배하는 구조입니다. 그러다 보니 이윤 증가에만 혈안이 된 투기꾼들의 입맛에 맞게 산업 구조가 변해야 했습니다. 이를 제도적으로 뒷받침하고 법과 행정으로 지원해 주는 정치권력을 세우는 일은 필수였습니다. 절대왕정 시기에 강력한 인물이 그 역할을 맡았다면 이제는 누군지도 모르는 소수 세력의 절대적인 카르텔이 세상을 지배하게 된 것입니다.

세계화

대한민국의 신자유주의는 김영삼 정권에서 본격화되었다. 1997년 외환위기(IMF 사태)는 이러한 세계 흐름 속에서 발생한 일이었다. 김영삼이 외치던 '세계화'의 끝은 국가부도였다. 이어 김대중 정권에 접어들어 세계적인 투기자본의 대한민국 경제 나눠 먹기가 본격화되었다. 일련의 과정에서 최종 희생양은 부를 만들어내던 노동자와 그 가족이었다. 그 결과 가정이 해체되기 시작했다.

이에 따라 노동자의 몫은 다시 줄고 복지는 사라지기 시작했습니다. 자본가들에 의해 간택된 정치권력이 등장했고 결국 1979년 영국의 대처와 1980년 미국 레이건의 등장 시점부터 세계는 광풍 속에 빠졌습니다. 영국 총리가 된 대처는 탄광노동조합을 궤멸시켰고 미국 대통령에 당선된 레이건은 항공관제사 노동조합을 박살 내면서 자신들을 권좌에 올린 자본가들의 기대에 부응했습니다.

이들이 노동조합부터 손보고 시작한 데에는 그만한 이유가 있습니다. 점점 안정되어 가는 노동자의 삶을 파괴해 돈에 허덕이게 만들고 결속된 힘을 깨부수는 것이 먼저라는 결론을 내린 것입니다. 자본 세력의 대타로 나선 공권력은 무자비한 탄압으로 피의 숙청을 시작해 마치 도살장의 가축을 해체하듯 노동자의 삶을 갈기갈기 찢었습니다. 자본 세력은 자신들의 판이 만들어지자 작은 정부를 주장하며 정치세력의 간섭을 배제하기 시작했습니다. 오히려 자기들 입맛에 맞는 자를 골라 정치권력으로 내세웠습니다. 이제부터는 정치권력이 돈 권력의 눈치를 보는 세상이 되었습니다. 자본 세력은 언론과 공직사회를 장악해 노동자들의 단결을 깨는 데 큰 노력을 기울였습니다. 이제 자본은 완전한 자유를 얻은 것입니다. 그 누구의 방해도 받지 않고 맘껏 돈 벌 새로운 자유인 신자유주의의 시작입니다.

1980년대에 본격적으로 등장한 신자유주의 물결은 1990년대를 지나며 전 세계적으로 자리 잡았습니다. 철저히 자본가의 이윤 증가를 위한 시장 체제 변화였습니다.

돌 반지 내어주고 받은 고단한 삶

신자유주의 광풍 속에서 세계적인 자본 사냥꾼들은 성장하고 있던 대한민국의 부를 노리며 군침 흘리고 있었습니다. 무능한 대한민국 정부와 부패한 재벌기업은 한 입에 털어 넣기 좋은 먹잇감이었습니다. 외환위기가 재벌 기업과 정부에 공동 책임이 있었음에도 피해자인 국민이 고통을 감내하면서 침몰 위기의 대한민국을 구했습니다. 국가를 욕하기보다는 일단 살리기 위해 아기 돌 반지까지 내어주며 힘든 시기를 버티려 안간힘 썼습니다. 이처럼 모든 국민이 고통 분담을 받아들이고 동참하였으나 착한 마음을 악용한 정부와 기업들에 의해 정규직이던 일자리들이 비정규직으로 바뀌는 결과만 떠안았습니다.

국민에게 돌아온 것은 구조조정과 해고로 인한 실업이었고 그 결과 줄줄이 신용불량자 대열에 합류했습니다. 뉴스는 줄줄이 도산하는 기업들 소식으로 채워졌고 이혼, 자살, 신용불량, 장기 매매 같은 암울한 단어들로 도배되었습니다. 얼마간의 위로금을 받아 퇴직한 사람들은 그 돈으로 자영업에 뛰어들었지만 경험 없는 사람들의 무한경쟁은 서로를 죽이는 결과만 남겼습니다. 자영업은 최하층 빈민으로 전락하기 직전에 거치는 통과의례일 뿐이었습니다. 국민이 이 같은 지경에 이르렀는데도 우리 정부와 기업들은 '기회는 이때다'라며 사회 전체를 자기들에게 유리한 신자유주의 구조로 바꿨습니다.

비정규직

2023년 8월 기준 21,954,033명의 전체 임금노동자 중 41%인 8,994,154명 가량이 비정규직 노동자입니다.

임금노동자 21,954,033	특수고용 624,013	위장자영 551,837		
		재택노동 72,176		
	종속적 노동자 21,330,020	간접고용 1,332,743	파견노동 221,048	
			용역노동 534,418	
			호출노동 577,277	
		직접고용 19,997,576	단시간 2,951,603	상용파트 479,531
				임시파트 2,472,072
			전일제 17,045,673	정규직 12,959,878
				일반임시직 950,125
				기간제 3,135,670

정규직으로 분류된 12,959,878명(59%)을 제외한 41%의 노동자가 비정규직. 수치는 근삿값이므로 오차 존재. '특수고용'을 '위장자영'으로 표현하고 있으며, '재택노동'과 '위장자영'을 합쳐서 '특수고용'으로 재분류하고 있다.

(출처: 한국 비정규노동센터, 2023년 8월)

대한민국은 노동력 유연성 확보를 통한 경쟁력 제고와 인건비 절감이라는 이유를 내세우며 비정규직 고용을 기본체제로 굳혔습니다. 그 결과 거의 모든 일자리가 비정규직으로 전환되었고 공기업들은 세계적 투기꾼들 식탁에 올라 배를 채워주고 말았습니다. 노동시장 유연화란 저렴한 가격의 노동력을 언제든 해고할 수 있다는 뜻입니다.

정규직은 취업한 직장에서 직접 근무하며 정년이 보장되는 고용 형태를 말합니다. 그 밖의 근로계약은 모두 비정규직입니다.

	비정규직	정규직
기간 (시간)	정상적인 근무형태에 비해 단기간 또는 단시간 근무 (파트타임 등)	직장이 문을 닫거나 노동자가 스스로 그만두지 않는 한 정년까지 일하는 형태
	무기계약도 비정규직	
	보호법: 기간제 및 단시간근로자 보호 등에 관한 법률	
장소	채용한 기업에서 일하지 않고 다른 기업에 가서 근무	근로계약을 맺은 직장에서 일하는 형태
	용역, 파견	
	보호법: 파견근로자 보호 등에 관한 법률	

영향을 주고받는 개인과 사회

대한민국은 민주공화국입니다. 헌법과 법률을 만들고 고칠 수 있는 권한은 원칙적으로 국민에게 있습니다. 다만 모든 국민이 만나서 논의하고 결정하는 것이 불가능하기에 대리인인 국회의원을 뽑아 국회에 위임하는 것입니다. 그렇게 만들어진 법과 절차에 따라 나라 살림을 실행하는 역할은 대통령에게 맡긴 것뿐입니다. 그러니 실제 주인인 국민이 세상일에 관심 가지고 대통령과 국회의원을 비롯한 공무원의 잘잘못을 지켜봐야 합니다. 국민이 그 책임을 다하지 않는다면 개인은 물론 가족 전체가 피해 당사자가 될 것이기 때문입니다.

1997년 외환위기 당시에 아무 잘못 없는 사람들이 하루아침에 직장을 잃고 가정이 해체되는 아픔을 겪었습니다. 그나마 남아있는 일자리는 대부분 비정규직으로 바뀌었습니다. 1970~1980년대를 지나며 겨우 살만한 세상이 되었지만, 정치세력과 재벌기업의 잘못으로 다시 국민만 나락으로 떨어진 것입니다.

외환위기 속에 청소년기를 보낸 사람들이 청년기를 지나 장년이 되었습니다. 부모의 실업과 파산으로 경제적 곤궁을 경험한 사람들이 지닌 인생철학은 무엇일까요. 가정 해체의 공포를 경험했기에 세상에 순응하며 사는 사람이 되었을 수 있습니다. 그와 반대로 사회에 관심을 기울이며 잘못된 세상을 바꾸기 위해 참여하는 삶을 살고 있을 수도 있습니다. 물론 갈수록 심해지는 신자유주의 영향으로 대부분의 사람이 전자의 길을 가고 있을 확률이 높습니다.

개인의 삶은 역사의 물줄기 방향에 따라 영향을 받습니다. 그 역사는 사람들이 만듭니다. 개인과 사회가 서로 영향을 주고받으며 앞으로 나아갑니다.

그러니 나와 내 가족이 잘 먹고 잘살기를 바란다면 정치와 경제를 중심으로 벌어지는 모든 일에 관심을 기울여야 합니다.

의심의 눈으로만 세상을 보면 피곤해서 어떻게 사느냐고 물을지도 모르겠습니다. 하지만 생각 없이 살다 보면 나중에 돌이킬 수 없는 더 괴로운 상황을 마주하게 될 것입니다.

6장. 경쟁에서 다시 협력으로

함께 사는 방식을 택한 인류

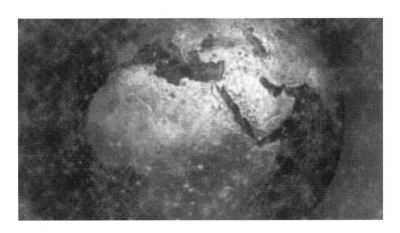

핵가족을 넘어 혼밥, 혼술이 유행할 정도로 혼자 하는 것에 익숙한 오늘날이지만, 실은 마치 한 몸과도 같이 서로 연결된 시대를 살고 있다. 수많은 사람이 인터넷을 통해 쉼 없이 검색하는 단어들이 모여 거대한 데이터의 결과를 생산한다. 알파고니, AI(인공지능)니 하는 것들도 전 세계 모든 사람이 자신의 단말기에 단어를 입력한 결과물이다. 즉 사회적 자산이다.

러시아의 타이가 지방에 사는 원주민들은 사냥에 동참하지 못한 사람에게도 잡은 고기를 나눠 줍니다. 몸이 불편하거나 사냥할 능력을 잃은 사람에게 고기를 나누어 주지 않으면 다음부터 사냥에 성공할 수 없을 것이라는 이야기가 전해 오고 있기 때문입니다.[75] 늙거나 병든 사람을 굶어 죽게 둔다면 결국 소수만 남게 되어 멸종에 이를 수 있습니다. 그러니 고기를 나누라는 조상의 말은 단순한 덕담이 아니라 자손의 생존을 간절히 바라는 지혜의 가르침이었습니다.

거친 대자연 속에서 한낱 약한 존재였던 인간은 생존을 위해 집단을 형성했습니다. 먹을 것을 구하고 천적의 공격으로부터 살아남기 위해 선택한 이러한 삶의 방식은 역설적으로 문명의 탄생에 기여했습니다. 사냥과 농업을 위한 두뇌 활동은 인류 진화의 원동력이었고 늘어난 여가는 예술과 지적 욕구의 바탕이 되었습니다. 기계의 발명으로 생산시간이 획기적으로 짧아져 풍요로운 삶을 살 수 있는 토대가 마련되었습니다.

이제 모두가 나눠 갖고도 남을 만큼 풍요로운 물질 시대를 열었습니다. 하지만 가진 자의 무한 욕심에 의해 가지지 못한 다수의 사람이 가난과 고통 속에 신음하는 기이한 세상이 되었습니다. 협력과 나눔의 방식을 통해 진화한 인류가 그 원동력 두 가지를 모두 버렸으니 이제 멸망한다고 해도 이상한 일은 아닐 듯합니다.

---

[75] 「호랑이의 땅」, 다큐프라임, 『EBS』, 2016.

둘 이상 모이면 발생하는 갈등

많은 사람이 모여 살면 갈등은 필연적으로 일어납니다. 특히 돈이 목적인 경우에는 생명조차 하찮은 것으로 취급받기도 합니다. 갈등은 사회를 발전시키는 원동력이 될 수도 있고 반대로 파멸로 이끌 수도 있는 양면성을 지니고 있습니다. 우리 앞에는 이를 극복하고 행복한 사회로 발전시키기 위해 지혜를 모아야 하는 과제가 놓여 있습니다. 하지만 지적 수준이 고도로 발달한 오늘임에도 인간성 회복의 기미는 보이지 않는 우리 현실입니다.

2009년에 발생한 '용산참사'는 우리 사회가 갈등 조절에 있어서 매우 저급한 수준에 놓여 있음을 여실히 보여준 상징적인 사건이었습니다.[76] 막대한 이익을 노리는 개발 주도 세력의 눈에 생존권을 외치는 사람들은 그저 갈 길을 막아선 장애물에 불과했습니다. 이 과정에서 서울시와 경찰청은 항의하며 버티는 사람들을 대상으로 군사작전 같은 강제진압을 시도해 여섯 명의 사망자가 발생했습니다. 갈등이 생기지 않도록 살펴 미리 대책을 마련하는 일은 국민이 국가에 부여한 의무입니다. 헌법 역시 공무원에게 모든 국민에 대한 봉사자의 역할을 다할 것을 명령했습니다. 하지만 공권력은 일관되게 돈 있고 힘 있는 쪽 편을 들어 약자를 무력으로 진압해 왔습니다.

---

[76] 2009년 서울시 용산구에 대규모 도심 재개발 사업 과정에서 반발하며 농성중인 세입자들을 경찰이 무리하게 진압하면서 발생한 참사.

이에 반해 개발사업의 모델로 회자하는 일본 도쿄의 롯폰기 힐스 사업은 17년에 걸쳐 마무리되었습니다. 이 중 공사 기간은 3년에 불과했고 나머지 14년은 강제수용이나 강제퇴거 없이 마지막 한 사람까지 설득하는데 들인 기간이었습니다.[77] 용산의 그것은 무엇을 위한 개발이고 누구를 위한 강제 진압이었는지 묻지 않을 수 없습니다.

거대한 사업이 아니더라도 우리 일상에서 벌어지는 사소한 갈등 역시 때로는 사람 목숨을 앗을 정도로 극단으로 치닫곤 합니다. 층간 소음으로 인해 살상이 벌어지기도 하고 위층의 소음에 대한 보복용으로 아래층에서 천정에 대고 굉음을 내는 음향기기가 판매되는 지경에 이르렀습니다. 이 문제의 근본 원인은 많은 사람이 좁은 도시에 몰려 살 수밖에 없는 사회 구조에 있습니다. 또한 이윤을 늘리기 위해 원가를 줄이려는 건설회사의 부실시공에도 큰 책임이 있습니다. 삶의 질 측면에서 주거를 바라보지 않고 자산으로 인식하고 있는 세태도 한몫 거듭니다.

생산시설과 물류가 한 곳에 집중되고 업무의 효율을 위해 서울 같은 대도시에 기업들이 겹겹이 둘러싸는 구조가 사람들을 모이게 합니다. 그러니 층간 소음 문제는 두 가정이 다투거나 화해한다고 해결될 문제가 아니라 전 국가적으로 사람을 중심에 두고 고민해야 할 사회 철학적 과제입니다.

---

[77] 김병국, 「모두가 행복한 도시개발사업을 기대하며」, 『국토』, 통권 제475 호, 국토연구원, 2021, 124쪽.

조선족과 고려인

　우리 삶에 가장 위험한 일은 남북한 군사 대치입니다. 그러다 보니 북한이 도발하기 전에 우리가 먼저 선제공격해야 한다고 주장하는 사람들이 있습니다. 하지만 한 번의 전쟁으로 우리 민족이 전멸할 수 있습니다. 승패는 무의미합니다. 그로 인한 이득은 주변 국가들에 돌아가고 남북한은 지도에서 사라질 것입니다. 대신 갈등을 극복하고 슬기롭게 풀어나간다면 오히려 발전의 기회로 삼을 수 있습니다. 모든 역사 발전에는 갈등이 거름 역할을 했습니다. 하지만 조상의 지혜를 잊은 지 오래인 대한민국은 온갖 갈등이 분열의 파편과 상처로 남아 있습니다.

　일제에 의해 뿔뿔이 흩어져 이 땅을 떠난 사람들은 국경 너머 중국과 러시아로 향했습니다. 이들은 각기 조선족과 고려인이라는 명칭으로 살아왔습니다. 20세기 세계 역사 소용돌이의 중심에 있던 두 강대국에서 소수 민족인 우리 동포들은 생존 자체가 기적이라고 할 만큼 고통스러운 삶을 살았습니다. 그럼에도 폭풍 속 잡초처럼 딛고 일어선 이들은 경제적 성취와 사회적 성공을 이루기까지 조국을 잊지 않은 채 대를 이어 언어와 문화를 지키고 있습니다.

　가족·친지와 생이별했던 이들과 그 후손들은 1990년대 들어 우리 정부가 두 나라와 수교한 후 대한민국 땅을 밟을 수 있게 되었습니다.

그런데 우리나라가 먹고살 만해지자 중국과 러시아 동포를 비하하는 사람들이 생겼습니다. 가난한 외국인들이 돈 벌기 위해 대한민국에 와서 일자리를 빼앗고 있다는 것입니다. 그런데 이런 현상은 역사에 대해 무지하고 자기 정체성에 대해서조차 알지 못하기 때문에 벌어지는 일입니다.

대한민국 국민이라고 해서 대단한 애국심으로 국적을 얻은 것은 아닙니다. 조상이 일제에 끌려가지 않았거나 어쩌다 보니 이 땅에 살고 있어서 부여받은 것일 뿐입니다.[78] 심지어 친일 부역자와 그 자손들도 대한민국 국민 자격으로 살아가고 있으니 국적 자체가 자부심일 이유는 없는 것입니다.

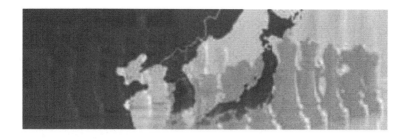

---

[78] **국적법 제2조**
　① 다음 각 호의 어느 하나에 해당하는 자는 출생과 동시에 대한민국 국적을 취득한다.
　　1. 출생 당시에 부 또는 모가 대한민국의 국민인 자
　　2. 출생하기 전에 부가 사망한 경우에는 그 사망 당시에 부가 대한민국의 국민이었던 자
　　3. 부모가 모두 분명하지 아니한 경우나 국적이 없는 경우에는 대한민국에서 출생한 자
　② 대한민국에서 발견된 기아는 대한민국에서 출생한 것으로 추정한다.

전쟁 위험이 상존하는 한반도에서 누구든 조선족이나 고려인 또는 사할린 주민같은 처지가 될 수 있습니다. 사람의 마음으로 사람을 대하고 온 힘 다해 평화를 지켜야 하는 이유는 역사 앞에서 그 누구라도 자기 삶을 선택할 수 없는 나약한 존재이기 때문입니다.

2010년 남아프리카공화국에서 열린 '월드컵 축구 대회'에서 눈물을 흘려 화제가 되었던 정대세라는 축구 선수가 있었습니다. 일본에서 태어나고 자란 그는 일본인이 아닌 조선인으로 세계 무대에 선 역사적 사실에 감격의 눈물을 멈출 수 없었던 것입니다. 정 선수는 이 대회에 북한 대표 선수로 출전했습니다. 그런데 정 선수 국적은 북한이 아니라 '조선'입니다.

일본에 거주하는 우리 민족 중에는 정 선수와 같이 조선 국적을 지닌 사람들이 있습니다.[79] 이들은 통일될 때까지는 어느 쪽 국적도 가지지 않겠다는 신념으로 온갖 수모를 견뎠습니다. 이들이 어느 쪽의 국적도 취득하지 않는 것은 우리처럼 단순한 시각으로 세상을 보는 것이 익숙해진 사람들로서는 이해 불가능한 철학이 담겨 있습니다. 정 선수는 우리 민족인 북한 축구팀이 일본에 지는 것이 보기 싫어 북한 대표로 출전하기로 마음먹었던 것입니다. 이들 삶의 자세를 들여다보노라면 우리가 역사와 민족 앞에 지니고 있는 책임의 무게를 되새기지 않을 수 없습니다.

---

[79] 남한도 북한도 아닌, 해방 전 조국이라는 상징적인 국적.

비싼 대가를 치른 지구 공동체

자본주의 제국들의 욕심은 '제 1 · 2차 세계대전'이라는 참극을 만들어 수천만 명의 죄 없는 사람이 이유도 모른 채 죽거나 장애를 안았습니다. 전쟁이 남긴 상처는 한창 산업혁명의 결과를 즐기고 있던 유럽 국가들에겐 크나큰 위기로 남았습니다. 생산자인 동시에 소비자인 사람들이 전쟁에 동원되어 죽거나 다쳤으니 정상적인 경제 운영이 불가능하게 된 것입니다. 무거운 대가를 치른 후에야 세계는 진지한 고민을 시작했습니다. 갈등 해결 방법으로 전쟁을 선택하면 공멸로 이어진다는 것을 절감하게 된 것입니다. 만물의 영장이라고 자부하는 인류는 미련하게도 처참한 경험 뒤에서야 공동체가 하나의 사회적 자산이라는 사실을 깨닫기 시작했습니다.

1944년 미국 필라델피아에서 열린 국제노동기구(ILO)[80] 총회는 선언문을 채택했습니다. 이 중 중요한 몇 가지는 다음과 같습니다.

"노동은 상품이 아니다."
"일부의 빈곤은 전체의 번영에 위험하다."
"결사의 자유가 보장되어야 한다."

---

[80] 1919년에 제1차 세계대전의 마무리 회담 결과로 '베르사유 조약'이 체결. 이에 의해 국제노동기구(ILO) 설립 기반이 마련되었고 1946년에 국제연합(UN)의 전문기구가 되었다. 대한민국은 1993년에 가입했다.

첫째, 노동은 시간당 얼마짜리라는 식으로 가격을 매길 대상이 아니라 인류의 발전과 사람다운 삶을 가능하게 하는 고귀한 행위라는 것입니다. 둘째, 세상은 유기적으로 움직이므로 한쪽에서 가난에 신음하는 사람이 발생하면 전체의 문제로 확대될 수밖에 없습니다. 그렇기에 일부의 가난은 동정의 눈으로 볼 것이 아니라 인류 번영의 문제로 봐야 한다는 것입니다. 셋째, 자본주의 사회에서 생산이 이뤄지려면 자본가가 노동자를 채용해야 합니다. 그런데 강자인 자본가에 의해 근로계약 내용이 불공정하면 자본주의가 무너질 수 있습니다. 노동자가 자기 노동력을 헐값에 팔면 삶이 불안정해져 사회 전체의 불안으로 이어지게 될 것이기 때문입니다. 그러니 자본주의가 지속하려면 공정한 근로계약이 맺어져야 합니다. 노동자가 절대강자인 자본가와 대등한 교섭력을 지니려면 여럿이 함께 연대할 수 있어야 합니다. 그래서 결사의 자유 보장을 선언한 것입니다.

많은 사람이 모여 살면 다양한 문제가 불거지게 마련입니다. 그런데 대한민국에서 문제 해결 과정은 늘 비슷한 모습을 보입니다. 힘 있는 자가 결정하면 그로 인해 이익 보는 세력이 동조합니다. 이에 반대하는 사람들의 항의와 시위가 이어지고 물리적인 충돌이 발생하면 경찰이 진압합니다. 이러한 과정을 거쳐 결국 강자의 계획대로 진행됩니다. 여기서 헌법정신이나 민주주의 같은 가치는 들어설 자리가 없습니다.

민주주의는 갈등을 풀어가는 과정입니다. 문제 해결 과정에서 대화에 임하는 자세에 따라 해당 사회의 민주화 정도를 가늠할 수 있습니다. 그런 면에서 보자면 대한민국은 형식으로만 민주공화국일 뿐 실제로는 민주주의가 제대로 정착한 사회라고 보기는 어렵습니다. 인내하며 상대의 목소리에 귀 기울여 함께 갈등을 치유하는 일이 일상에 뿌리내려야 진정한 민주사회라고 할 수 있기 때문입니다.

널리 세상을 이롭게 하라

헌법의 첫 구절은 '유구한 역사'로 시작합니다. 유구한 역사의 시발점인 단군의 건국 사상은 '홍익인간'입니다. 이는 현재 대한민국 교육의 기본이념입니다.[81] 하지만 우리의 학교 교육은, 널리 세상을 이롭게 하기는커녕 오로지 각자의 영달과 출세 지향을 독려하며 입시와 취업을 목표로 헌법 정신과 정반대의 길을 걷고 있습니다. 국가는 모든 사람이 잘 먹고 잘살 방법을 찾아 실현해야 할 의무가 있지만, 대한민국에서 그런 시도를 하려다간 정치권력과 언론 권력으로부터 빨갱이로 몰려 뭇매를 맞습니다. 단군 할아버지도 좌익이었던 걸까요.

---

[81] **교육기본법 제2조(교육이념)**
교육은 홍익인간의 이념 아래 모든 국민으로 하여금 인격을 도야 하고 자주적 생활 능력과 민주 시민으로서 필요한 자질을 갖추게 함으로써 인간다운 삶을 영위 하게 하고 민주국가의 발전과 인류공영의 이상을 실현하는 데에 이바지하게 함 을 목적으로 한다.

국가 존재 이유는 모두를 잘 살게 하는 것

교육기본법은 우리 교육이 민주국가의 발전과 인류 공영에 이바지할 것을 목표로 한다고 못 박고 있습니다. 진정한 의미의 민주국가란, 구성원 모두가 상대적 박탈이나 소외됨 없이 건강한 정신과 육체를 유지하며 행복한 삶을 사회를 의미합니다. 국적과 인종, 종교가 다른 모든 사람과 함께 번영하는 것이 인류 공영입니다. 그러니 널리 세상을 이롭게 하겠다는 통 큰 생각은 4천3백여 년 전 할아버지의 구식 이념이 아닌, 현재를 살아가는 우리 모두의 기본 사상이 되어야 합니다.

경제는 무엇을 어떻게 생산해서 잘 나누어 사용할 것인가 하는 문제를 다룹니다. 영어 economy는 집을 잘 관리한다는 의미로부터 왔고, 한자는 경세제민(經世濟民), 즉 세상을 잘 관리해 모두를 구제한다는 뜻을 담고 있습니다. 그러니 경제란 사회 구성원 모두의 행복을 목표로 하는 행위를 일컫는 말입니다. 언론 보도를 보면 재벌기업 총수를 경제인이라고 지칭하곤 합니다. 하지만 이는 잘못된 표현입니다. 재벌기업은 모든 국민의 안위와는 전혀 상관없이, 자기 이윤만을 위해 존재하기 때문입니다.

애덤 스미스(1723~1790)는 경쟁과 분업, 자율이 자본주의 경제를 발전시킬 것이라 내다봤습니다. 효율적인 자본 운용을 위해 국가는 경제 활동에 개입하기보다는 자본가들이 마음 편하게 이윤 추구를 할 수 있도록 지켜봐야 한다고 주장하기도 했습니다. 즉 시장은 수요와 공급의 법칙에 의해서 가격과 수량을 자동으로 결정하게 되어 있으므로 누구의 개입도 필요 없다는 것입니다. 도덕 선생님이었던 그는 '정의는 타인을 침해하지 않는 것'이라면서, 인간이 이기적인 마음을 지니고는 있지만, 자본주의 양식에 의해 사회가 발전하면 물자가 풍족해질 것이므로 구성원 모두 나눠 가지는 일이 가능할 것으로 생각했습니다. 하지만 그의 예측은 크게 벗어났습니다.

수요와 공급의 법칙에 의해 가격이 결정되는 것이라면 '눈물의 땡처리' 같이 헐값에 상품을 판매하는 일은 왜 일어날까. 부동산 가격이 비정상적으로 오르는 것도 이 법칙의 작용 때문일까.

자본주의 사회는 이전 시대와는 비교조차 할 수 없을 정도로 상품이 넘칩니다. 그러므로 힘센 자가 많이 가져도 밑바닥 사람들에게 돌아갈 몫이 충분합니다.[82] 그래서인지 국가는 국민을 향해, 때가 되면 골고루 혜택을 입을 것이니 떼 쓰지 말고 일단 열심히 일하라고 합니다. 하지만, '아흔아홉 칸 가진 사람이 한 칸 가진 사람의 것을 빼앗아 백 칸 채우려 한다'는 속담이 괜히 나온 말이 아닙니다. 낙수 효과에 대한 기대는 희망 고문일 뿐 실현될 수 없습니다. 자본주의, 그것도 대한민국의 천한 자본주의에서는 애당초 불가한 일이기 때문입니다.

자본주의 시대에 와서 차별 없는 사회가 될 줄 알았지만 새로운 사회에서도 힘을 쥔 사람들은 과거 시대의 권력자들과 다르지 않았습니다. 또다시 소수의 사람이 권력을 확대하고 사회를 독점하는 역사가 시작된 것입니다. 자본은 자신의 몸집을 키우기 위해 종잣돈이 필요합니다. 그런데 한 푼 없던 사람이 막대한 자본을 어떻게 만들었을까요. 권력과 결탁하여 정보를 얻어내고 불법행위를 감시해야 할 공권력이 눈감아 주는가 하면 국민의 세금으로 특혜를 주는 등의 부정한 유착이 없다면 불가능한 일입니다.

---

[82] **낙수효과**
일단 맨 위에 물이 가득 차면 아래에 있는 사람들에게 차례대로 마실 수 있는 기회가 올 것이라는 논리. 국가와 기업이 잘 되어야 모두 잘 살 수 있으니 시끄럽게 하지 말고 기다리라는 뜻. 하지만 윗쪽 물이 아래로 넘쳐 흐르는 일은 없다. 위의 사람이 자기 그릇을 점점 큰 것으로 바꾸면서 물을 계속 가둬두기 때문이다.

권력자에게만 '금'인 시간

현행 근로기준법에 의하면 한 주 근로 시간은 40시간을 넘지 않아야 하고[83] 연장은 12시간 이내에서만 일 시키는 것이 가능합니다. 그러면 최장 52시간입니다.[84] 그런데 이를 두고 정부와 언론에서 '주 52시간'이라는 용어를 관용적으로 사용하곤 합니다. 마치 한 주 52시간 노동이 원칙인 양 사람들 뇌리에 스며들게 하는 것입니다.

그런데 대한민국에서는 상당 기간 동안 한 주가 5일이었습니다. 5일 동안 기본 40시간에 연장 12시간을 더해 52시간이 가능하다는 것입니다. 7일 중 5일을 제외한 나머지 이틀은 한 주에 포함되지 않으니 각 8시간씩 16시간 일 시키는 것이 가능하다는 억지 논리를 폈습니다. 그래서 한주에 68시간까지 근로를 시키던 때가 있었습니다. 한 주가 7일이라는 사실은 삼척동자도 알 것이지만 대한민국 정부는 5일이라고 우긴 것입니다. 정부의 희한한 계산법과 언론의 선동이 한데 어울려 이를 정당화했고 학자들도 힘을 더했습니다.

---

[83] 근로기준법 제50조(근로시간)
　① 1주 간의 근로시간은 휴게시간을 제외하고 40시간을 초과할 수 없다.
　② 1일의 근로시간은 휴게시간을 제외하고 8시간을 초과할 수 없다.
　③ 제1항 및 제2항에 따라 근로시간을 산정하는 경우 작업을 위하여 근로자가 사용자의 지휘·감독 아래에 있는 대기시간 등은 근로시간으로 본다.

[84] 근로기준법 제53조(연장 근로의 제한)
　당사자 간에 합의하면 1주 간에 12시간을 한도로 제50조의 근로시간을 연장 할 수 있다.

당사자인 노동자는 뭐가 뭔지도 모른 채 노예 같은 근로조건을 받아들이지 않을 수 없는 상황에 놓여 있습니다. 현 대통령은 후보 시절에 한 주 120시간 노동이 가능하다는 발언을 함으로써 논란을 일으켰고 당선 이후에도 그러한 노동정책을 포기하지 않고 있습니다.[85] 이처럼 권력 쥔 자들은 노동자들의 시간을 자기 마음대로 갖다 씁니다. 힘없는 노동자의 시간은 헐값 취급하면서 자기들 시간만 금보다 귀하게 여깁니다.

시간은 금이다. 모든 사람에게는 동등하게 하루 24시간이 주어진다. 나의 것은 한정되어 있으니 남의 시간을 얼마나 많이 배앗아 올 수 있는가가 부자로 가는 관건이다. 당연히 배앗기는 사람이 있어야 하고 그 수가 많으면 많을수록 큰 부자가 될 수 있다.

85 이희진, 「尹 "주120시간 노동" 헛말 아니었다」, 『노컷뉴스』, 2023. 3. 7.

주인이 주인 되어야

대한민국에서 노동자는 이처럼 힘 있는 자들의 필요에 따라 막 대해도 되는 하찮은 존재일 뿐입니다. 자본주의 시대에 와서 차별 없는 사회가 될 줄 알았지만, 새로운 사회에서도 힘을 쥔 사람들은 과거 시대의 권력자들과 다르지 않았습니다. 또다시 소수가 권력을 장악하고 사회를 독점하는 역사가 시작된 것입니다. 자본과 정치권력이 공생하며 세상을 주무릅니다. 모든 국민을 잘살게 해야 할 정부가 편파 판정으로 헌법 질서를 어지럽히고, 재벌과 언론 권력은 거짓으로 사회를 혼란에 빠뜨립니다.

정치권력은 주권자로부터 권한을 위임받은 동시에 국민에게 봉사해야 할 의무도 부여받았습니다. 하지만 이들은 손에 쥔 막강한 권한만 휘두를 뿐 의무는 이행하지 않습니다. 이런 상태가 변함없이 지속되는 가장 큰 이유는 주인이 역할을 제대로 하지 않기 때문입니다. 그러니 단군 할아버지가 하늘을 열며 일갈한 '널리 세상을 이롭게' 하는 모습은 어디에서도 볼 수 없습니다.

주권자가 주인으로서의 자기 역할을 다할 때라야 최소한의 인간다운 생존이 가능해집니다. 공부하면서 세상을 정확히 보는 노력을 기울이는 한편 정치권력을 향한 감시의 시선을 멈추지 않을 때라야 세상이 제대로 돌아갈 것입니다. 그 결과는 자기 자신을 포함한 모든 이의 인간다운 삶으로 귀결됩니다.

노동조합은 민주주의 학교

2009년 4월 독일 금속노동조합(IGMETAL)의 시위 모습. 미국에서 시작된 금융공황이 전 세계를 휩쓸던 시기다. "위기는 너희들의 것, 미래는 우리들의 것"이라고 적은 커다란 펼침막을 노동자들이 들고 있다. 위기를 촉발한 것은 끝없는 욕심을 멈추지 않는 자본가 너희들이고 그 결과도 너희들의 몰락으로 이어질 것이다. 하지만 우리 노동자들은 그런 세상이 오면 이윤이 아닌 인간 사회를 위한 노동을 통해 모두 행복한 미래를 누릴 것이라는 뜻을 담고 있다.

손발 묶은 흥정

1987년 노동자 대투쟁에서 알 수 있듯 자본주의 사회에서 최소한의 생존이라도 유지하려면 노동조합이 필요합니다. 그 명백한 이유는 다음과 같습니다.

근로관계는 다른 거래와 마찬가지로 양 당사자가 이견을 조율하여 결정하는 계약입니다. 상품은 파는 사람이 정해놓은 가격이 있습니다. 사려는 사람은 이의 없으면 돈 주고 사면 끝입니다. 그런데 가격이 비싸다고 생각하거나 가진 돈이 모자라면 흥정을 시도할 수 있습니다. 만약 여러 개를 현금으로 구입할 능력이 있다면 사는 쪽에 힘이 실릴 수 있습니다. 파는 입장에서도 덤을 줄 테니 정가대로 달라고 요구할 수 있습니다. 이처럼 돈이 많거나 언변이 좋아서 밀고 당기는 힘이 흥정력입니다.

대한민국에서 노동자의 몸값인 임금은 전국이 거의 비슷합니다. 일한 만큼 준다고 말은 하지만 서울 한복판이나 지방 소도시나 할 것 없이 같은 업종의 노동자 임금은 일률적입니다. 서울과 지방의 업체가 서로 다른 곳이더라도 임금 시장에서는 마치 한 곳인 것처럼 단일화 되어있기 때문입니다. 실질적인 담합입니다. 그에 반해 노동자는 수천만 명이 각각 다른 공급자입니다. 사려는 사람은 거대한 자금을 지닌 한 사람이고 팔려는 사람은 취업에 목매는 수천만의 구직자입니다. 그러니 노동자의 흥정력은 바닥일 수밖에 없어 최저임금 수준을 벗어나기 힘듭니다.

자본주의가 잉태한 노동조합

자본주의와 산업혁명이 시작된 영국. 기계의 소모품이 된 노동자들은 인간 이하의 삶을 살았습니다. 한계에 다다른 노동자들이 저항을 시작하자 정부는 단결을 금지하는 법을 만들어 손발을 묶었습니다. 1824년에 이 법이 효력을 상실하면서 노동조합과 협동조합 운동이 본격화했습니다. 이후 둘의 길은 나뉘었는데 특히 노동조합은 자기 삶은 자기가 바꿔야 한다는 주인 의식으로 투쟁을 전개했습니다.

자본주의적 생산의 특징 중 하나는 대규모로 하는 것입니다. 한곳에 모아서 생산하는 규모가 클수록 이윤의 크기가 늘어납니다. 그런가 하면 분업도 중요한 요소입니다. 한 가지 상품 생산에 많은 노동자가 부품을 나누어 작업하면 효율이 증대하고 속도가 빨라집니다. 이전 시대에 비해 동일한 시간에 얻는 이윤이 큽니다.

농경시대에는 많은 노동자가 모일 수 없었습니다. 농노들이 저항 한 번 하려고 해도 모이는 자체가 어려운 일이었습니다. 그런데 자본주의에 와서는 한 공장에 수많은 노동자를 모아놨습니다. 그러니 노동자들의 목소리를 모으기가 수월할뿐더러 생산 중단이나 물리적인 투쟁으로 자본가를 압박하는 힘이 농경시대의 그것과는 비교조차 할 수 없는 상태가 되었습니다. 결국 자본주의 체제 스스로 노동조합을 잉태한 것입니다.

대한민국은 자본주의 국가입니다. 오늘 우리 삶은 자본주의가 시작된 2백 년 전 영국 모습과 똑같습니다. 그때나 지금이나 자본주의의 본질은 변하지 않았기 때문입니다. 그러니 그 부작용에 대응하는 처방도 같을 수밖에 없습니다. 저들은 오랜 세월 지나는 동안 모순을 제거하며 발전했지만 우리는 아직 자본주의 초기 모습에 머물러 있습니다. 오로지 이윤 증가만을 목적으로 하기에 노동자를 사람으로 보지 않습니다. 그저 돈 벌어주는 소모품일뿐입니다. 특히 강력하게 뿌리내린 신자유주의로 인해 노동자는 쫓기듯 일하며 불규칙한 식사를 합니다. 이로 인해 정신적인 스트레스가 쌓이고 심리적인 불안 속에 사는 마음이 병들어갑니다. 육체적 고통에 온갖 질병을 달고 사는 한국 노동자들입니다.

우리보다 먼저 자본주의가 시작된 나라들이 비인간적인 모습을 줄여나가며 선진국으로 발전한 데에는 노동조합의 힘이 절대적이었습니다. 질병이 창궐하면 치료 약이 개발되어 물리치듯 자본주의로 인한 사회적 병폐는 부를 만들어내는 노동자들의 각성과 단결로 하나씩 제거되었습니다. 자본주의 사회인 대한민국 역시 노동조합의 등장은 필연이었습니다. 그런데 부와 권력을 쥔 세력은 틈만 나면 노동조합을 악마화합니다. 자기들이 부당하게 빼앗는 몫이 줄어들기 때문입니다. 노동자의 단결과 투쟁으로 얻을 것은 자유롭고 풍요로운 삶입니다. 그로 인해 모든 사람이 인간답게 사는 세상이 될 것입니다.

대한민국 발전의 원동력인 노동조합

자본주의 사회에서 거래가 공정하게 이뤄지지 않는다면 경제 질서는 혼란에 빠집니다. 결국 국가 체제가 무너질 수 있습니다. 그래서 독과점을 강력하게 규제하는 법을 만들어 운용하는 것입니다.[86] 제대로 된 자본주의 국가라면 공정이 필수 요소입니다.

소유권을 보장하고 계약의 법적 효력을 인정하는 사회에서 상대적으로 유리한 위치에 서기 위해 노력하는 것은 정상적인 행위입니다. 하지만 여기서도 전제 조건이 있습니다. 공정해야 하는 것입니다. 그런데 자본가는 그 명칭이 상징하듯 권력 그 자체입니다. 돈과 권력을 쥔 자본가와 오로지 몸 하나뿐인 노동자 간에 힘의 균형은 이미 결정 나 있습니다.

놀이터의 시소에 두 사람이 마주 앉았습니다. 한쪽은 거구의 성인이고 반대편은 어린이입니다. 이것을 일대일의 공정한 상태라고 보는 사람은 없을 것입니다. 마찬가지로 근로계약의 양 당사자 중 자본가 쪽에 힘이 몰려 있으니 공정한 계약이 될 리 없습니다. 시소의 균형을 맞추려면 더 많은 어린이가 필요하듯 근로계약에서 힘의 균형을 위해서는 노동자 단결이 필수입니다.[87]

---

[86] 독점규제 및 공정거래에 관한 법률 제1조(목적)
이 법은 사업자의 시장지배적지위의 남용과 과도한 경제력의 집중을 방지하고, 부당한 공동행위 및 불공정거래행위를 규제하여 공정하고 자유로운 경쟁을 촉진함으로써 창의적인 기업활동을 조성하고 소비자를 보호함과 아울러 국민경제의 균형 있는 발전을 도모함을 목적으로 한다.

[87] 카를 마르크스, 『자본 1-1』, 강신준 옮김, 길, 2010, 334쪽.

기업들은 거대한 카르텔을 형성해 마치 한 몸인 것처럼 단결해 왔습니다. 그에 반해 노동자들의 단결은 정부까지 가세해 막았습니다. 공정한 근로계약을 위해서는 노동자도 그에 상응하는 힘을 갖추는 것이 당연한 일입니다. 그 해답은 노동조합에 있습니다.

노동조합은 산업 평화와 국민경제 발전에 이바지하는 존재입니다.[88] 그러니 국가가 나서서 노동조합 설립과 가입을 권장해야 하지만 지금껏 그런 일은 일어나지 않았습니다. 오히려 방해하고 탄압합니다. 공무원이 노동조합을 만들고 교섭을 요구하는 것은 어쩔 수 없이 인정하면서도 단체행동권 행사는 불법으로 간주해 처벌합니다. 국제노동기구(ILO)가 그러지 말 것을 권고하지만 우리 정부는 요지부동입니다. 노동삼권은 별개의 권리가 아니라 한몸과 같은 기능을 하는 것이기 때문에 노동조합 설립만 인정하고 단체교섭권과 단체행동권을 금지하는 것은 헌법의 노동삼권 전체를 부인하는 것이나 마찬가지입니다.

단결권은 단체를 결성할 권리입니다. 여기서 단체는 오로지 노동조합입니다. 국가가 노동조합만 이 법의 보호 대상으로 한다는 뜻입니다. 노동조합을 만들었으면 사용자에게 만날 것을 요구할 권리가 생깁니다. 이것이 단체교섭권입니다.

---

[88] 노동조합 및 노동관계조정법 제1조(목적)
　　이 법은 헌법에 의한 근로자의 단결권·단체교섭권 및 단체행동권을 보장하여 근로조건의 유지·개선과 근로자의 경제적·사회적 지위의 향상을 도모하고, 노동관계를 공정하게 조정하여 노동쟁의를 예방·해결함으로써 산업평화의 유지와 국민경제의 발전에 이바지함을 목적으로 한다.

사용자가 교섭 요구에 차일피일 미루거나 거부하면 2년 이하의 징역 또는 2천만 원 이하의 벌금에 해당하는 처벌 대상입니다.[89] 교섭이 이뤄진다고 해도 합의가 되지 않으면 국가 기관인 노동위원회에 조정을 신청할 수 있습니다. 조정위원회에서 제시하는 안을 양측이 받아들이면 단체협약 조정이 성립되지만 거부하면 교섭은 공식적으로 결렬됩니다. 이후부터 헌법이 보장한 단체행동 권리가 발생합니다.

우리 헌법은 파업을 국민의 권리로 보장하고 있습니다. 약자인 노동자의 단결을 막는 것은 공정한 자본주의 시장경제를 하지 않겠다는 것이나 다름없기 때문입니다. 이처럼 노동조합은 불법과 경제질서 교란을 일삼는 반헌법적인 세력에 맞선 수호자이자 대한민국 발전의 원동력의 기능을 지니고 있습니다.

대부분 노동조합이 정상적인 과정을 거친 합법 파업을 하지만 정부와 기업 그리고 언론은 불법이라고 거짓 선동을 합니다. 그것뿐이 아닙니다. 헌법이 정한 기본적 권리인 노동삼권의 의미를 제대로 알리는 것은 고사하고 파업이 시작되면 '불법'이나 '교통대란' 또는 '경제 마비' 등의 부정적인 표현으로 사회 불안감을 조성합니다. '합법' 파업이라는 사실은 절대 말하지 않습니다.

---

[89] 노동조합및노동관계조정법 제81조(부당노동행위) 제1항
사용자는 다음 각 호의 어느 하나에 해당하는 행위(이하 "부당노동행위"라 한다)를 할 수 없다.
　3. 노동조합의 대표자 또는 노동조합으로부터 위임을 받은 자와의 단체협약체결 기타의 단체교섭을 정당한 이유없이 거부하거나 해태하는 행위

노동조합의 생명은 민주주의

노동자의 삶을 피폐하게 하면서 성장하는 것이 자본주의가 지닌 속성입니다. 노동하는 사람뿐만 아니라 모든 이의 삶에 속속들이 영향을 끼칩니다. 대부분의 사람이 취업하고 일생 대부분의 시간을 일터에서 보냅니다. 불공정한 근로계약, 비민주적인 직장 문화가 가정과 사회 전반에 영향을 끼치는 것은 당연한 일입니다.

지금까지 살펴본 대로 가정과 학교 그리고 직장을 포함한 삶의 어디에서도 민주주의를 경험할 수 없는 대한민국입니다. 이런 가운데에서 노동조합은 민주주의 학교 역할을 할 수 있는 유일한 곳입니다. 그 이유로는 다음과 같은 것들이 있습니다.

첫째 노동조합은 많은 사람의 조직화가 가능합니다. 한 가정에 한 명 이상일 정도로 수많은 노동자가 있기 때문입니다. 둘째 그렇기에 노동조합은 대한민국의 거의 모든 가정에 영향을 끼칠 수 있습니다. 셋째 노동조합은 일상적입니다. 노동조합은 날마다 출근해 일하는 노동자들의 조직이기 때문입니다. 넷째 노동조합은 천한 자본주의에 맞설 유일한 존재입니다. 경제적 권력자들의 배를 채우는 이윤은 노동으로부터 만들어집니다. 그러니 노동조합이 저임금 장시간의 고된 노동을 조직적으로 거부한다면 줄어드는 것은 경제 권력의 이윤뿐이고 늘어나는 것은 노동자의 여가 시간과 풍요로운 삶이 될 것입니다. 이것은 결국 모든 가정의 평화와 행복으로 이어질 것이 분명합니다.

그러나 아쉽게도 우리 노동조합에서 민주를 경험하기는 매우 어렵습니다. 비민주적인 우리 사회가 투영된 듯 노동조합에서조차 지도부의 독선과 반민주적인 행태가 보입니다. 조합원은 조합원들대로 지도부에 미루고 방관하다가 임금 인상을 위한 교섭이나 구조조정이 시작되어 일자리에 문제가 생겨야 관심을 보이기도 합니다.

노동조합이 민주주의 학교가 되려면 구성원들이 민주주의에 적합한 사람들로 바뀌어야 합니다. 노동조합 운영이 민주적이어야 하는 것은 당연합니다. 구태를 벗고 시대의 변화를 공부하며 민주적인 조직으로 환골탈태하여 건강하게 운영된다면 대한민국의 모든 가정과 수천만 명의 국민에게 민주주의의 향기를 전할 수 있습니다. 이러한 분위기 속에 성장하는 세대들이 우리 사회의 주역이 되는 때가 오면 대한민국 사람들의 삶 모든 영역에 진정한 의미의 민주주의가 뿌리내리게 될 것입니다. 그러니 노동조합은 대한민국 민주주의에 전제조건이자 필수 요소입니다.

최저임금이라도 받기 위해 자기 삶의 주인 되는 길을 저버리는 것은 유리병 속 사탕을 쥔 채 손을 빼지 못하는 원숭이와 다르지 않은 모습입니다. 원숭이가 손을 빼려면 사탕을 놔야 하듯 우리가 놓아야 할 것은 수단 방법을 가리지 않고 돈을 좇는 삶입니다.

노동조합이 제 역할을 다하면 조합원 개개인의 삶은 거듭나게 될 것입니다. 그렇게 바뀐 노동자가 가족에게 영향을 끼쳐 가정에도 민주주의가 꽃을 피우게 될 것입니다. 그 향기가 온 세상을 뒤덮으면 어느샌가 민주주의는 우리 일상에 늘 함께 있을 것입니다.

열심히 일하면서도 삶에 영향을 끼치는 것들에 관해 공부하고 토론하며 민주적 절차에 따라 의사를 모아 결정하는 살아있는 노동조합으로의 변화가 성공한다면 결국 우리 사회를 민주적으로 만들 수 있는 학교로서의 역할을 할 수 있게 될 것입니다. 이렇게 해서 자연스레 모든 사회 구성원이 함께 민주주의가 넘치는 세상을 만들고 가꿉니다. 자본주의 사회에서 노동조합은 이 모든 과정의 토대 역할을 합니다.

한 분야의 전문가 또는 갑자기 인기 얻은 사람을 지지해 시의원이나 국회의원으로 선출하고 심지어 대통령까지 만드는 방식으로는 대한민국을 진정한 민주공화국으로 만들 수 없습니다. 콩 심은 데 콩 나고 뿌린 만큼 거둔다는 진리대로 우리가 가꾸고 노력한 만큼만 민주주의가 다가오기 때문입니다. 그러니 노동조합은 자본주의 세상에 사는 우리에게 민주주의의 학교일 수밖에 없습니다.

7장. 삶 속의 민주주의를 향하여

전태일과 민주화운동

지독한 가난을 피해 서울로 향한 어린 전태일은 온갖 고생을 겪던 중 옷 만드는 일을 배웁니다. 착실히 일하며 인정받던 태일의 꿈은 어서 돈 벌어 사장님이 되는 것이었습니다. 당시의 비인간적인 노동 환경을 온몸으로 경험하던 그는 직접 착한 사장이 되어 직원들에게 잘 대해주고 싶은 마음을 품었던 것입니다.

그런 그가 1970년 11월 13일에 세상의 짐을 짊어진 채 분신했습니다. 그가 묻힌 경기도 마석의 모란 묘역은 노동뿐 아니라 민주주의와 평화통일을 위해 독재 세력에 맞서다 세상을 떠난 분들이 잠들어 있습니다.[90] 이후 참혹한 모습의 아들과 한 약속을 지키며 평생을 살다 2011년에 작고하신 고 이소선 여사는 평생의 한이었던 전태일 열사[91]의 뒤편에 잠들어 계십니다. 어머니 묘비에는 생전에 당신이 하셨던 말씀이 새겨져 있습니다.

"옷도 세상도 건물도 자동차도 이 세상 모든 것을 노동자가 만들었습니다. 노동자가 세상의 주인 아닙니까. 그런데 우리는 하나가 안 되어서 천대받고 멸시받고 항상 뺏기며 살잖아요. 이제부터는 하나가 되어 싸우세요. 하나가 되세요. 하나가 되면 못할 것이 아무것도 없습니다. 태일이 엄마의 간절한 부탁입니다. 여러분이 꼭 이루어 주세요"

---

90 민주열사 묘역, 경기 남양주시 화도읍 창현리 산22-1.

91 나라를 위해 죽음으로 항거한 사람. 맨몸으로 나선 점에서 무력으로 투쟁한 의사와 구별된다. (예, 유관순 열사, 안중근 의사)

열세 살 여공

그는 자신보다 어린 열악한 처지의 소녀 노동자들을 위로하고 나누는 삶을 살았습니다. 재단사나 재단공 정도가 되면 시다라고 불리는 어린 여공들을 함부로 대하거나 손찌검하는 경우도 있었지만 전태일은 늘 친절했고 무슨 일이든 도와주기 위해 정성을 다했습니다. 집에 갈 버스비로 풀빵을 사서 어린 여공들에게 나눠주고 자신은 일터인 청계6가에서 도봉산 기슭의 집을 향해 자정을 넘겨서까지 걸었습니다.

어린 노동자들의 처지를 개선할 방법이 없을까 고심하던 그는 근로기준법 같은 노동자의 권리를 보호하는 장치가 있음을 알게 됩니다. 희망을 안은 채 노동청과 서울시청을 찾았고 자신들의 이야기가 신문 기사로 등장할 때는 뛸 듯이 기뻐했습니다. 하지만 그런 일들이 현실을 바꾸는 데는 아무 역할을 할 수 없다는 사실을 깨닫게 됩니다. 이후 그의 생각은 새롭게 도약합니다.

죽도록 일만 하는 노동자들이 가난한 이유는 오로지 이윤을 늘리는 데 혈안이 된 자본가들의 욕심 때문이다. 미성년인 어린아이들마저 제물로 삼는 사회 구조가 문제다. 노동자들이 힘을 모아 투쟁에 나서는 것만이 사람답게 살 수 있는 유일한 길이다.

이 같은 진리를 깊이 깨우친 것이었습니다. 아무짝에도 쓸모없는 근로기준법을 불태우기로 한 날에 전태일은 이 땅의 노동자들이 깨어나길 바라며 자신을 불살랐습니다.

이후 전태일의 뒤를 잇는 노동자들이 목숨 건 저항을 시작했고 시대를 이어 오늘까지 이어지고 있습니다. 그의 죽음은 끝이 아니라 시작이었습니다. 노동자뿐 아니라 대학생과 지식인을 비롯한 많은 이들의 자기 성찰로 이어져 노동문제를 우리 사회 구조 전반의 근본적인 문제로 인식하기 시작한 것입니다. 당시만 해도 배운 사람들의 관심은 한일 관계 등 국내외 정치 문제나 통일 같은 거대한 담론을 향하고 있었습니다. 자본주의가 막 시작되어 공업화되어 가던 우리나라를 온몸으로 떠받치며 고통받는 노동자들에게 눈을 돌리지 못했던 것입니다. 그러던 것이 전태일을 계기로 각각의 관심사가 서로 연결되어 있음을 인식하고 노동의 구조적 문제에 초점을 맞추기 시작했습니다.

전태일 열사의 분신 이후 남은 동료들과 어머니는 그의 뜻을 이어 〈청계피복노동조합〉을 결성했고 온갖 탄압을 받으면서도 투쟁을 멈추지 않았습니다. 그런가 하면 초등학교도 마치지 못하고 돈 벌기 위해 고향을 떠나야 했던 어린 노동자들을 위해 야학을 열어 공부할 수 있게 도왔습니다. [92]

---

[92] 신순애, 『열세 살 여공의 삶』, 한겨레출판, 2014, 225~232쪽.

조영래

전태일의 삶과 사상이 세상에 알려진 데에는 고 조영래 선생의 역할이 결정적이었습니다. 군사독재 세력의 수배를 피해 다니는 와중에 전태일과 관련된 사람들을 만나고 자료를 모아 〈전태일 평전〉을 펴냈습니다. 민주화운동으로 고초를 겪기도 한 그는 사법시험에 합격한 후 노동과 빈민 문제 그리고 공해와 관련된 사건 등에 헌신했습니다. 그는 소외당하는 이들과 권력으로부터 부당한 탄압을 받는 사람들을 위해 열정을 쏟으며 살다 마흔셋의 생을 마쳤습니다.[93]

평전은 단순히 한 개인의 일대기를 정리한 책이 아닙니다. 한국 사회가 노동자와 자본가 계급으로 분리되는 산업화·자본주의화 과정의 민낯을 기술한 역사서라고 할 수 있습니다.[94] 또한 많은 사람들로 하여금 노동법이 과연 약자를 위한 법인가에 대해 깊이 생각하도록 했습니다.

전태일 열사가 이 땅의 노동자들을 대신해 자신을 던진 지 반백 년이 지났지만, 나아진 것 없이 오히려 비정규 노동자만 늘고 있습니다. 게다가 노인과 십 대 아이들까지 일해야 하는 미친 사회가 되었습니다.

---

[93] 김기선, 「횃불을 든 사람들 - 영원한 자유인 조영래」, 민주화운동기념사업회, 2003, 7쪽.

[94] 조영래, 『전태일 평전』, 돌베개, 2009, 3~5쪽.

전태일이 남긴 교훈은 자본주의 사회에서 피폐해질 수밖에 없는 노동자의 삶을 바꾸는 힘은 자각과 단결뿐이라는 것입니다. 그러기 위해서는 사회 구조를 정확히 보는 힘을 키우고 같은 처지의 노동자들과 손잡아야 하며 삶을 바꾸려는 지속적인 노력만이 인간답게 살 수 있는 유일한 길이라는 것입니다.

　모든 사람이 책임감 있게 세상에 참여할 때 소소한 일상의 행복을 누릴 수 있습니다. 단결과 투쟁은 누군가를 해치는 도구가 아니라 잠자고 있는 우리의 본성을 깨우는 힘입니다. 전태일의 죽음은 한 노동자의 열악한 삶에서 나온 절규를 넘어 이 땅에 사는 사람들의 각성과 민주주의를 향한 거대한 발걸음을 촉구하는 경종이었습니다.

민주주의가 밥 먹여 준다

　월급날 받은 돈은 며칠이나 남아있을까요. 한 조사 결과를 보면 평균 17일 만에 돈이 바닥난다고 합니다.[95] 나머지 13일은 어떻게 생존이 유지되는지 신기할 따름입니다. 심지어 7일 이내에 지갑이 빈다는 응답자도 11.5%에 달할 정도니 먹고 살기 위해 취업하는 것이 아니라 한 달 중 대부분을 무료 봉사하기 위해 직장에 들어가는 것이 아닌가 싶습니다. 이런 상황임에도 아껴 쓰라는 충고를 한다면 화만 북돋울 뿐입니다. 대부분의 사람이 신용카드로 외상 빚을 지고 다음 월급날 갚기를 무한 반복합니다. 한 번 올라탄 회전목마에서 내리는 것은 평생 불가능한 일입니다. 부조리한 세상에 따지거나 노동조합에 가입하는 일은 꿈도 꿀 수 없습니다. 당당하던 패기는 빈 지갑 앞에 무너집니다.

---

95 장윤혁, '월급 보리 고개, 17일이면 통장은 바닥', 『디지털 경제』, 2017. 7. 18.

의식주 해결조차 힘든 대한민국

최소한 의식주에 어려움을 겪지 않아야 안정적인 사회라고 할 수 있을 것입니다. 하지만 21세기의 대한민국에서는 그 정도조차 누릴 수 없습니다. 최저임금에 턱걸이하는 저임금으로는 제대로 된 먹거리조차 살 수 없습니다. 여가를 즐기거나 가족이 화목한 시간을 함께하는 것도 불가능합니다. 점점 치솟는 생계비를 벌기 위해 노동 시간을 더 늘려야 합니다. 그렇게 지친 몸이 병드는 것은 당연한 일이어서 약 없이 버티기 힘듭니다. 경제적인 결핍이 몸의 혹사로 이어지고 그 과정에서 마음과 정신마저 피폐해지는 악순환의 구조가 반복됩니다. 결국 삶의 질은 점점 나빠지고 우리 일상은 늘 불안합니다. 혼인과 출산 기피로 인한 인구 감소는 그에 따른 자연스러운 현상인 것입니다. 이렇게 된 근본 원인은 세상이 공정하게 돌아가지 않는 데 있습니다.

민주주의 사회라면 공정해야 합니다. 모두의 노력으로 만든 부를 제대로 나눠야 합니다. 노동에 따른 분배가 이뤄지지 않는다면 공정한 민주주의 사회가 아닙니다. 국가가 제대로 유지되려면 치우침 없는 행정과 입법, 사법 작용이 이뤄져야 합니다. 노력의 결과물을 자신도 모르는 사이에 빼앗기는데도 국가가 방관한다면 누가 국가를 믿겠습니까. 부의 흐름이 한쪽으로만 쏠린다면 사회는 썩을 수밖에 없습니다. 민주주의가 없는 사회를 기다리는 것은 공멸뿐입니다.

대통령을 비롯한 모든 공무원은 국민을 받들어야 할 의무가 있습니다.[96] 행정부와 입법부, 사법부가 존재하는 이유는 국민의 기본권을 지켜주는 것에 있습니다. 공무원이 임무를 제대로 수행하지 않는다면 국민의 삶은 피폐해집니다. 기본권의 핵심이 경제적 안정을 기반으로 하는 풍요로운 삶이기 때문입니다. 국가 기능이 제대로 작동한다면 열심히 일하면서 가난하거나 놀면서 부자인 사람이 있을 수 없습니다. 하지만 대한민국에는 저임금의 비정규직 노동자가 더욱 늘고 있습니다. 반면에 부동산과 주식 투기로 돈 벌려는 사람도 늘어갑니다. 이 중 대다수의 실패자 몫을 소수의 승리자가 갖습니다. 그 결과 빈부격차는 더욱 벌어집니다. 이런 현상의 반복 속에 불안한 삶을 사는 국민이 점차 늘어갑니다.

안정된 삶은 열심히 노동만 한다고 해서 누릴 수 있는 것이 아닙니다. 공정한 정치 행위가 있어야 가능한 일입니다. 그렇기에 정치 민주화를 위해 눈과 귀를 기울이는 일을 게을리하지 말아야 합니다. 과거 군사독재에 맞서 싸우던 젊은이들에게 당시의 기성세대는 "그런다고 세상이 바뀌냐?", "민주주의가 밥 먹여 주냐?"며 걱정 섞인 질타를 하곤 했습니다. 이에 대한 답은 "그렇다, 민주주의가 밥 먹여 준다"입니다. 오늘 젊은이들이 길을 잃고 힘들어합니다. 또다시 대한민국 민주주의에 심각한 위기가 닥친 것임을 알 수 있습니다.

---

[96] 헌법 제7조 제1항
    공무원은 국민전체에 대한 봉사자이며, 국민에 대하여 책임을 진다.

1987년 노동자대투쟁

1987년에 타오른 민주화운동의 뜨거운 열기는 궁지에 몰린 군사독재 세력이 대통령직선제를 받아들이는 모양새를 취함으로써 일단 막을 내리는 듯 보였습니다. 그런데 모두가 승리감에 도취해 투쟁의 끈을 내려놓은 이때부터 더욱더 힘찬 투쟁을 전개하기 시작한 사람들이 있었으니 바로 사회적으로 천대받던 노동자들입니다. '7·8·9월 대투쟁'으로 불리는 노동자들의 단결은 인간으로서의 자존감을 찾는 출발점이었습니다.

모든 분야의 산업에서 전국 동시다발적으로 일어나 8월 중순 무렵에는 하루 평균 3백 개 이상의 사업장에서 파업 농성이 벌어졌습니다. 실질적인 전국 총파업이었습니다. 특히 조직에 의한 것이 아니라 하나의 공장에서 다른 공장으로 들불처럼 번진 자발적인 운동이었다는데 큰 의미가 있습니다.[97]

1960~1970년대를 지나며 본격적으로 시작된 산업화 과정에서 노동자들의 삶은 헌신적인 노력에 비해 턱없이 열악한 것이었습니다. 둘째가라면 서러울 정도로 천박한 형태를 띠고 있는 대한민국의 권력 구조로 인해 부익부 빈익빈 현상이 점점 커졌기 때문입니다. 그러던 것이 노동자들의 투쟁 결과로 노동조건이 향상되었고 삶의 질에 변화를 불러왔습니다.

---

97 양규현, 『1987 노동자 대투쟁』, 한내, 2017, 80쪽.

노동자대투쟁에서 가장 집중적이고 두드러진 요구는 임금인상, 상여금 인상 등이었습니다. 임금 인상은 가정의 살림살이에서부터 변화를 불러왔습니다. 전화기와 전자제품들이 가정에 자리 잡기 시작했고 자동차 산업의 내수 시장도 함께 성장해 자가용차 시대가 열렸습니다. 공장 밖에 나갈 때 창피하게 생각해 입지 않았던 작업복을 자랑스레 입은 채로 다니기도 했습니다.

　이 투쟁은 노동자들 스스로 자신의 삶을 바꾸기 위해 나섰다는 점에 의의가 있습니다. 투쟁을 통한 삶의 질 향상을 경험하면서 노동자들은 자신의 노동 가치를 깨닫게 되었습니다. 열심히 일하다 보면 잘 사는 날이 올 것이란 거짓 선전에 속아 착취당하던 노동자들의 이러한 승리 경험은 하나 된 목소리를 내는 것이야말로 인간으로서의 존엄을 찾는 유일한 길임을 깨닫게 했습니다. 노동이 사회 발전의 원동력이며 모든 사람을 잘 살게 하는 근원이라는 자부심을 지니게 된 것입니다.

　노동자대투쟁의 가장 큰 성과는 노동자 의식이 성장하고 계급으로서의 노동자 인식이 형성되기 시작했다는 것입니다. 노동자는 하나다, 기계를 멈추면 세상이 멈춘다, 이 세상의 주인이 노동자라는 인식을 하게 된 자체가 역사적 성과였습니다. 즉, 정치, 경제, 사회, 문화 등을 노동자 계급적 관점에서 이해하기 시작한 것입니다. 군사독재 권력의 거짓 선전에 속지 않고 자기 삶의 질은 투쟁에 비례한다는 진리를 깨닫기 시작했다는 점이 이 투쟁의 본질적 의미였습니다.

당신이 먹는 것이 당신이다

정치투쟁은 겉으로 보이는 현상일 뿐 본질은 경제투쟁입니다. 세상의 온갖 갈등과 범죄도 돈 때문에 발생합니다. 그 과정에서 승리해 돈을 많이 갖게 되면 목소리가 커집니다. 부부나 형제자매 사이에서도 돈을 많이 가진 사람이 자신도 모르는 사이에 가족 안에서 의견의 비중이 커지고 나머지는 이에 따르는 형국이 되기도 합니다. 이것이 곧 정치권력입니다. 자본주의가 본격화하던 19세기에 자본가들은 노동자에게 점심 식사를 주어서는 안 된다고 생각했습니다. 노동자들 배가 부르면 고분고분하지 않아 다루기 힘들어질 뿐 아니라, 사회적 권력관계에서도 강력한 경쟁상대가 될 수 있음을 우려한 것입니다.

돈을 많이 갖게 되면 먹는 음식의 종류가 많아지고 고급으로 바뀝니다. 반면에 가난해질수록 먹는 가짓수가 줄어들어 결국 인스턴트 음식 한 가지로 끼니를 해결하게 됩니다. 고급 승용차가 줄지어 늘어선 식당에서 시간에 구애받지 않고 식사하는 사람들의 모습은 여유로워 보입니다. 이에 반해 길거리나 화물차 안에서 쫓기듯 간편 음식을 먹는 비정규직 노동자들의 모습은 세계 10위권을 넘나드는 대한민국 경제를 떠받치고 있는 중추인 노동자라고 믿기지 않습니다. 두 부류의 식사하는 모습에서 발견할 수 있는 차이는 본질적으로는 그들 삶의 다름에서 오는 것입니다. 그 차이는 민주화의 정도에 따라 벌어지거나 줄어들 수 있습니다.

당신이 먹는 음식이 곧 당신의 사회적 지위를 나타냅니다. 양질의 먹거리로 식사하고 주거 걱정 없이 살려면 경제력을 높여야 합니다. 경제력은 정치적으로 강력한 목소리를 낼 수 있을 때라야 획득할 수 있습니다. 또한 개인적인 노력만으로는 이룰 수 없는 일이기에 사회 구조의 변화를 위해 노력해야 합니다. 그러니 잘 먹고 잘 살려면 세상일에 관심 가지고 정치의 민주화를 위해 목소리를 내야 합니다. 민주주의가 실현될수록 먹는 것의 종류도 바뀝니다.

먹는 것은 수입과 직접 연관 있다. 수입의 크기에 따라 먹거리 종류가 달라지고 식사 시간의 길이도 차이 난다. 수입은 그대로 삶의 질에 반영된다. 이 차이가 작을수록 민주주의에 가까운 사회다.

폭력에 관하여

2008년에 미국산 쇠고기의 광우병 위험을 우려한 시민들이 항의 시위를 벌이자 경찰은 폭력 집회로 간주했습니다. 추운 날씨임에도 고압의 차가운 물대포를 쏘아대고 서울 중심인 광화문 사거리 넓은 도로를 컨테이너로 막았습니다. 정부와 경찰이 폭력적인 공권력으로 기본권 행사를 방해한 것입니다.

2016년 10월 29일에는 헌법상의 임무를 위반한 대통령의 퇴진을 요구하는 5만여 명의 사람들이 모여 집회를 열었습니다. 12월 9일에는 그 수가 약 2백3십만 명으로 늘어나 분위기가 고조되었습니다. 그런데 이 당시 집회에 참여한 군중은 성숙한 민주시민의 자세를 잃지 말자면서 '비폭력'을 외쳤습니다. 왜 그랬을까요. 폭력이 수반되는 시위는 정당성을 얻을 수 없는 것일까요. 2008년과 2016년 시위의 차이는 무엇일까요.

피를 먹고 성장한 민주주의

토머스 제퍼슨(1743~1826)은 민주주의가 피를 먹고 자라는 나무와 같다고 했습니다. 프랑스혁명과 미국의 독립은 무장 투쟁으로 이뤄낸 결과였기에 그의 말은 설득력이 있습니다. 왕정을 무너뜨리고 공화정을 세우기까지 수많은 사람의 피를 뿌려야 했던 역사를 보면 폭력이 세상 변화와 깊이 관련 있음을 알 수 있습니다.

민주공화국이라고 해서 주권자인 국민에게 당연히 권리가 주어지는 것은 아닙니다. '꺼진 불도 다시 보자'라는 마음으로 늘 감시하고 민주주의를 훼손하려는 세력들을 몰아낼 수 있을 때만이 진정한 민주 사회가 실현됩니다. 그런 의미에서 고통스러운 현대사를 경험한 독일 헌법이 주권자가 직접 나서야 함을 명시적으로 선언한 것은 우리에게도 시사하는 바가 크다고 하겠습니다.[98]

우리는 5년 임기인 대통령을 직접 선출합니다. 주권자가 믿고 선택한 대통령이라면 임기 동안 그에게 모든 것을 맡겨야 한다고 생각하는 사람이 많습니다. 하지만 헌법은 국회가 대통령을 견제·감시하도록 합니다. 어째서 그러는 걸까요. 국민이 뽑은 대통령을 믿지 않는 것이 정상이기 때문입니다. 민주주의 제도는 불신을 전제로 합니다.

---

[98] 독일 헌법 제20조 제4항
모든 독일인은 민주적, 사회적, 연방 국가적 질서를 폐지하려고 하는 자에 대하여 다른 구제 수단이 불가능한 때에는 저항할 권리를 가진다.

우리 헌법 전문은 임시정부의 법적 정통성과 4 · 19 민주 이념을 계승한다고 선언했습니다. 임시정부의 출발점은 3 · 1운동입니다. 3 · 1운동은 비폭력성으로 대중의 참여를 이끌고 평화애호의 정신을 높이는 데 결정적 역할을 했다는 평가를 받고 있습니다. 학교에서도 그렇게 가르치고 배웠습니다. 그런데 과연 그럴까요.

　　3 · 1운동 첫날부터 조선인들이 경찰 관서를 습격했다는 헌병과 경찰 그리고 지방관들의 일일 보고서가 남아있는 것을 볼 때 반드시 그런 것만은 아님을 알 수 있습니다. 경찰서장을 포박하여 총기와 탄약을 탈취했고 백병전으로 사상자 발생했습니다. 일장기를 불태우고 일본군 헌병 분대를 습격하여 장교를 사망케 하는 등 초기부터 폭력 운동이 비폭력 운동 못지않게 전 국토에 걸쳐 일어났습니다.[99]

　　1960년의 4 · 19는 독재로 나라를 어지럽히던 이승만 정권이 저지른 부정 선거가 드러나면서 국민 분노가 폭발해 시작된 항쟁이었습니다. 사태가 걷잡을 수 없는 방향으로 흐르면서 물리적 충돌은 필연적으로 일어났습니다. 경찰의 발포에도 물러서지 않은 국민의 저항으로 민주주의가 회복되었습니다. 법과 절차에 의해 바로잡으려고 노력하고 결과를 기다리는 식으로 대응했다면 과연 4 · 19가 민주혁명으로 남을 수 있었을까요. 분노한 주권자의 이러한 행동은 폭력일까요 아닐까요.

---

[99] 김영범, 「3 · 1운동에서의 폭력과 그 함의」, 『정신문화연구』, 제41권 제4호(통권 153호), 한국학중앙연구원, 2018, 67~104쪽.

촛불로 세상을 바꿀 수는 없다

일제의 주권 침탈과 인간성 말살에 맞선 3·1운동에서부터 독재에 맞서 항거한 4·19민주혁명까지. 두 번의 역사적인 저항은 대한민국 헌법에 기본 철학으로 자리 잡았습니다. 이는 오늘에도 진행형입니다. 민주주의 압살 시도와 독재의 불씨가 호시탐탐 기회를 엿보고 있기 때문입니다. 그러니 만약 역사의 불행이 재현된다면 3·1운동과 4·19 민주혁명으로부터 이어받은 정신에 비추어 어느 정도의 폭력이 허용될 것인가 하는 문제는 언제나 우리 앞에 과제일 수밖에 없습니다.

박근혜 탄핵 국면에서 비폭력을 외친 촛불 군중은 평화 시위의 공로를 인정받아 에버트재단이 주는 2017년 인권상 수상자로 선정되었습니다.[100] 그런데 만약 헌법재판소가 박근혜의 대통령직 유지 결정을 내렸다면 질서 유지와 준법을 외치던 시민들은 집으로 돌아가야 했을까요. 청와대에서 나오지 않겠다고 버티던 대통령을 법과 절차에 의해 나오게 한 것은 평화적 행위일까요 폭력일까요.

주권자가 행동할 때라야 법과 제도는 실효성이 있습니다. 또한 촛불이 촉발한 혁명은 주권자의 실천 의지에 따라 최종 목적지에 다다를 수도 있고 그렇지 못할 수도 있습니다.

---

[100] 제1차 세계 대전 직후인 1919년 바이마르 공화국의 초대 대통령으로 선출된 프리드리히 에버트의 유언에 따라 그의 임종 직후인 1925년에 사회민주주의를 기치로 내걸며 탄생한 비영리 기구. (출처: 프리드리히 에버트재단 한국 사무소 홈페이지)

1349년에 영국 왕 에드워드 3세는 법에서 정한 것보다 많은 임금을 주는 사용자에게 금고형을 해당 노동자에게는 그보다 더 가혹한 벌을 주도록 했습니다. 그런가 하면 업종이 다른 노동자들이 한 목소리를 내는 것도 금지했습니다. 노동자들이 자신의 권리를 위해 항변하는 것 자체가 금기사항이었고 단결은 중범죄로 취급되었기 때문에 노동자들은 옴짝달싹할 수 없었습니다. 국가의 폭력은 세상 어떤 폭력보다 강력하게 모든 이의 삶을 옥죕니다.

　　영국에서 단결을 금지하던 〈단결 금지법〉이 1824년에 폐지되자 노동자들은 힘을 모아 저항을 시작했습니다. 이들의 투쟁은 때로는 자본주의 체제를 멈추게 할 수도 있을 만큼 강력했지만 결국은 실패했습니다. 이후 전 세계에서 벌어진 자본에 대한 저항은 대부분 비슷한 전철을 밟았습니다. 그럼에도 오늘 우리가 누리는 최소한의 권리는 오랜 세월 성공과 실패의 반복을 거치며 의식을 확대하고 정치 투쟁을 이어온 덕분에 갖게 된 것입니다.

　　사람은 누구나 자신의 권리를 가지고 태어났으며 상대가 국가라고 해도 침해당하지 않을 자유가 있습니다. 짓눌릴 때 일어나 맞서는 것은 자연스러운 생존의 법칙이지만 우리 사회는 피지배자인 약자들마저 투쟁을 불온시하는 분위기가 오랫동안 조장되어 왔습니다. 자기 눈으로 보지 못하고 강자의 시각으로 세상을 보는 것에 길들었기 때문입니다.

혁명에 마침표는 없다

한 번의 혁명으로 사회가 일시에 변하는 것은 아닙니다. 1789년에 루이 16세의 구체제를 무너뜨리며 시작된 프랑스혁명은 10년에 걸친 기간 동안 이어졌으며 나중에는 혁명 세력끼리 죽고 죽이는 대혼란을 겪습니다.

반혁명 세력과 왕당파의 반란을 진압한 나폴레옹(1769~1821)은 급기야 자신이 황제로 즉위하여 공화정을 무너뜨리고 황제정을 선포합니다. 1830년에는 샤를 10세에 의한 전제정치가 강화되어 자유주의 정신이 탄압받자 파리 시민을 주축으로 한 혁명이 발발하여 그를 쫓아내고 입헌군주제를 채택하여 나폴레옹 3세를 앉힙니다.

역사의 수레바퀴 속에서 프랑스 민중들은 삶을 바꾸기 위한 투쟁을 계속 전개했으나 기득권의 저항과 반동 역시 반복적으로 고개를 들었습니다. 정치적 권리가 없는 데 불만을 품고 있던 노동자와 시민들은 탄압이 가해지자 1848년 2월에 혁명을 일으켜 왕정이 폐지되고 제2공화정이 수립됩니다.

끊임없이 혁명과 반혁명이 반복되던 프랑스에서 1871년에는 노동자와 시민들이 자치 정부를 세우는 일이 벌어집니다. 자치 정부가 정한 강령은 노동시간을 10시간으로 제한하고 제빵공의 야근을 철폐하는 등 민중과 노동자가 사회의 당당한 주인으로서 자신들을 위한 법과 정책들로 채워졌습니다.

하지만 이들의 혁명은 두 달여 만에 정부군에 의해 진압되었고 항복 후 포로가 된 시민 중 약 2~3만 명의 사람들이 학살당하는 비극의 역사를 남기게 됩니다. '파리코뮌'이라고 불리는 이 혁명을 통해 노동자와 민중은 자신들의 삶을 스스로 결정할 수 있음을 확인했습니다. 갈등이 아닌 협동과 공존의 방식으로 국가를 운영하는 것이 가능하다는 사실을 경험으로 알게 되었습니다.

프랑스 화가 외젠 들라크루아가 그린 〈민중을 이끄는 자유의 여신〉. 역사적 배경은 1830년 7월 혁명이다. 민중 혁명으로 샤를 10세가 쫓겨났지만, 소수 지주층의 지지를 기반으로 하는 루이 필립 1세가 즉위한다.

산을 오르는 기차는 자동차와는 달리 구불구불한 길을 갈 수 없습니다. 거의 일직선으로만 달려야 하는 특성이기에 기찻길은 직선이나 완만한 곡선으로 놓입니다. 그러한 한계를 지닌 기차는 산을 오르기 위해 일정 구간은 위로 향하다가 다시 아래로 후진했다가 전진하는 방식, 즉 지그재그 형태로 운행합니다. 이것이 '스위치백' 방식입니다. 후진 구간에서는 아래로 내려가기만 하는 것처럼 느낄 수 있습니다. 하지만 결국 기차는 목적지에 다다릅니다.

힘 있는 자들의 역사 구간은 그들의 승리로 기록됩니다. 약자에게는 아픔과 패배로 기억되는 것이 당연합니다. 하지만 일정 구간에서는 후퇴로 보였던 역사도 실은 구간 전체를 보면 진보하며 발전해 온 것입니다. 그렇다면 1987년 이후의 우리 역사는 전진이었을까요 후퇴였을까요.

혁명이란 어느 한 시점에 달성할 수 없는 일이며 세대를 이어 때로는 수많은 사람의 생명을 담보로 하여 진행된다는 것을 역사는 보여줍니다. 대한민국의 최근 역사를 보더라도 4·19 민주혁명과 그 뒤를 이은 박정희의 반란, 1979년 부마 항쟁 이후의 민주화 분위기를 잔인하게 진압한 전두환 군사독재, 이에 맞선 광주 민중항쟁과 1987년의 민주항쟁, 반란군 잔존 세력인 노태우의 집권 등이 역사의 흐름이었음을 알 수 있습니다. 어쩌면 이명박과 박근혜의 등장은 필연이었을 수 있고 촛불에 의한 박근혜 탄핵도 마찬가지의 역사적 시각으로 읽을 수 있을 것입니다. 우리의 혁명은 언제쯤 완성될 수 있을까요.

맺는 글

민주주의가 모두를 자유케 하리라

사회를 구성하는 한 사람 한 사람은 도도히 흐르는 강의 원천과 같습니다. 각자의 삶은 인류 역사를 앞으로 나아가게 하는 거대한 힘입니다. 작은 샘과 냇물이 모여 넉넉한 강을 이루듯 세상 곳곳에서 묵묵히 일하는 모든 이들이 노동한 결과로 사회는 풍요를 누립니다. 강물에 의지하여 수많은 생명이 삶을 이어가듯 노동은 모든 사람의 생명에 필요한 에너지를 골고루 나눠 채워 줍니다. 그렇기에 노동의 열매로 소수의 배만 채우는 것은 잘못된 일입니다. 뿌린 만큼 거둬야 하는 세상 이치에도 맞지 않습니다.

노동해방은 일하지 않는 것이 아닙니다. 만약 그런 것이라면 해방 후에 노동하는 사람이 없어 인류는 멸망의 길을 걷게 될 것입니다. 노동해방이란 자기를 위한 노동, 즉 노력의 결과로 행복한 삶을 온전히 누리는 것을 뜻합니다.

그렇게 되면 노동자 몫을 빼앗아 부를 누리던 사람도 자기를 위해 땀 흘려 노동해야 합니다. 세상 질서를 어지럽히며 다른 이를 괴롭히는 일은 더 이상 하지 않아도 됩니다. 악역에서 벗어나 착하게 살 수 있습니다. 쓰고 있던 자본가 탈을 벗고 노동하는 삶을 살게 될 것입니다.

기술과 문명의 발전으로 노동시간이 줄고 부의 공정한 분배로 삶이 여유를 찾습니다. 이것이 인류 해방입니다. 그러니 노동자의 노동해방은 자기 삶만 바꾸는 것이 아니라 결국 세상을 바꾸는 일입니다. 사람이 사람을 착취하는 오랜 질곡에서 벗어나 진정으로 사람사는 세상이 시작될 것입니다. 노동이 본래의 기능을 되찾아 물질적 풍요와 정신적 자유를 선사할 것입니다. 모든 사람이 자기 삶의 주인으로 행복하게 사는 진정한 민주주의 세상이 된 것입니다.

그런 날이 올까요?

참고문헌

단행본

게랄트 휘터, 『존엄하게 산다는 것』, 박여명 옮김, 인플루엔셜. 2019.

구해근, 『한국 노동계급의 형성』, 창비. 2010.

김용철, 『삼성을 생각한다』, 사회 평론. 2010.

김형근, 『힘과 운동』, 백정현 그림, 지경사, 2009.

러셀 갤로웨이, 『법은 누구 편인가』, 안경환 역, 고시계, 1985.

리하르트 다비트 프레히트, 『내 행복에 꼭 타인의 희생이 필요할까』, 한윤진 옮김, 21세기북스, 2012.

박노자, 『비굴의 시대』, 한겨레출판, 2015.

박승호, 『한국 자본주의 역사 바로 알기』, 나름북스, 2020.

버트런트 러셀, 『서양철학사』, 서상복 옮김, 을유문화사, 2009.

법정, 『산방한담』, 샘터, 1983.

신순애, 『열세 살 여공의 삶』, 한겨레출판, 2014.

양규현, 『1987 노동자 대투쟁』, 한내, 2017.

양동휴, 『양동휴의 경제사 산책』, 일조각, 2009.

엘리자베트 벡 게른스하임, 『모성애의 발명』, 이재원 옮김, 알마, 2014.

임종률, 『노동법』, 박영사, 2012.

제페토, 『그 쇳물 쓰지 마라』, 수오서재, 2016.

조영래, 『전태일 평전』, 돌베개, 2009.

주명철, 『대서사의 서막 : 혁명은 이렇게 시작되었다』, 여문책, 2015.

최장집, 『민주주의의 민주화』, 후마니타스, 2006.

카를 마르크스, 『자본 1-1』, 강신준 옮김, 길, 2010.

─────── , 『자본 1-2』, 강신준 옮김, 길, 2010.

————————, 『자본론 1[상]』, 김수행 옮김, 비봉출판사. 2015.

폴 라파르그, 『게으를 권리』, 차영준 옮김, 필맥, 2009.

한나 아렌트, 『예루살렘의 아이히만』, 김세욱 옮김, 한길사, 2017.

————————, 『인간의 기원』, 이진우 번역, 한길사, 2017.

J.K. 갤브레이스, 『갤브레이스가 들려 주는 경제학의 역사』, 장상환 옮
김, 책벌레. 2016.

논문

김병국, 「모두가 행복한 도시개발사업을 기대하며」, 『국토』. 통권 제475
호, 국토연구원, 2021.

김영범, 「3.1운동에서의 폭력과 그 함의」, 『정신문화연구』, 제41권 제4
호(통권 153호), 한국학중앙연구원, 2018.

최연식, 이승규. 「용비어천가(龍飛御天歌)와 조선 건국의 정당화」, 『한
국동양정치사상사연구』, 제7권 제1호, 2008.

기사

강국진, 「인구감소가 쏘아올린 모병제 논의, 현장에서도 '모병제 논의
서둘러야'」, 『서울신문』, 2023. 3. 26.

권재만, 「동물복지 수준 향상 친환경 축산 선도…궁극적 농가소득 효
과」, 『축산신문』, 2014. 2. 10.

김기선, 「햇불을 든 사람들 – 영원한 자유인 조영래」, 민주화운동기념 사업회, 2003. 6. 1.

김상봉, 「최저임금 때문에 기업하기 힘들다고?」, 『오마이뉴스』, 2011. 7. 11.

김소연, 「경총 '정규직 전환 이렇게 피해 가라' 책자 뿌려」, 『한겨레신 문』, 2007. 3. 6.

배두헌, 「불황속 '투잡족' 확 늘었다'. 직장인 4명중 1명은 투잡」, 『헤럴 드경제』, 2015. 10. 6.

이지희, 「'SKY' 교육예산 쏠림 심각...5년간 6조5600억원 지원」, 『한국 대학신문』, 2020. 10. 19.

이희진, 「尹 "주120시간 노동" 헛말 아니었다」, 『노컷뉴스』, 2023. 3. 7.

임세웅, 「저임금에 갇힌 여자들 3 : 40대] 양육과 돌봄 회전문에 매인 삶」, 『매일노동뉴스』, 2024. 3. 11.

임지선, 「10년 전 20대 청년 추락한 용광로...'그 쇳물은 쓰이지 않았 다'」, 『한겨레신문』, 2020. 10. 11.

장윤혁, '월급 보리 고개, 17일이면 통장은 바닥', 『디지털 경제』, 2017. 7. 18.

조계완, 「무노조 신화 그 무데뽀 정신」, 『한겨레21』, 2005. 9. 6.

최재봉, 「'그 쇳물 쓰지 마라' 댓글 시인 제페토 첫 시집」, 『한겨레신문』, 2016. 8. 15.

하어영, 「문재인이 히말라야에서 '팔보채'를 찾은 까닭은」, 『한겨레신 문』, 2016. 7. 13.

보고서·기타자료

「2021년 국민 계정(확정) 및 2023년 국민 계정(잠정)」, 『공보』, 2023-06 -07호, 한국은행, 2023.

『2023년 여성경제활동백서』, 여성가족부, 고용노동부, 2023.

「2023년 12월 및 연간 고용동향」, 통계청, 2023.

「가족실태조사」, 여성가족부, 2024.

「조용한 가족」, 지식채널 e, 『EBS』, 2016.

「호랑이의 땅」, 다큐프라임, 『EBS』, 2016

칸 영화제 홈페이지, https://www.festival-cannes.com/en/2019/gisaengchung-parasite-class-struggle-by-bong-joon-ho